あわせて学ぶ

会計&ファイナンス入門講座

プロになるための理論と実践

ACCOUNTING & CORPORATE FINANCE

田中慎一&保田隆明

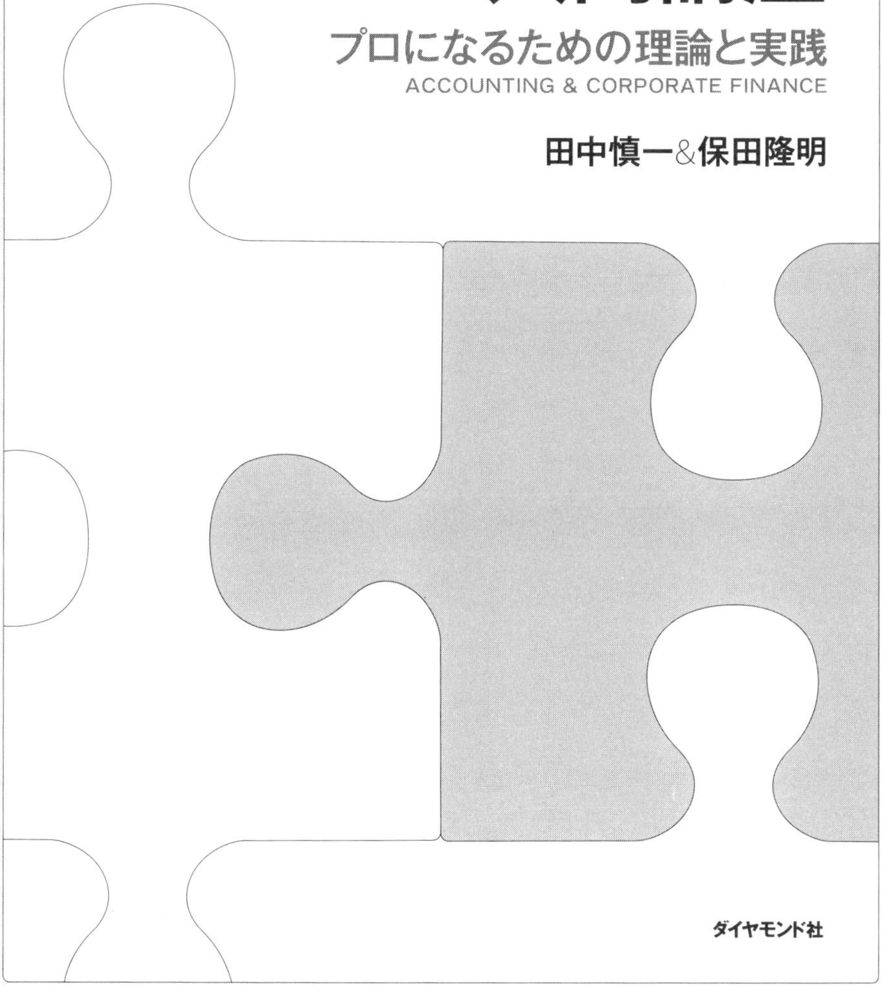

ダイヤモンド社

まえがき

この本の内容を一言で表すなら、「企業経営におけるゼニの増やし方」です。興味ある！　という方はぜひご一読ください。

ゼニで重要なのは「今いくら持っているか」ではありません。「将来にわたっていくらのゼニを稼げるか」です。世の中には多数の企業が存在し、日々、経営者は戦略を立案し、それを遂行していますが、それらはすべて、将来その企業が生み出すゼニを最大化するためのものです。

ゼニを最大化する戦略は、大きくは２つあります。１つはモノを効率的に売るという戦略、そしてもう１つは本書で扱う財務戦略です。そう、財務戦略という会計とファイナンスを用いた戦略を遂行すれば、ゼニを増やすことが可能なのです。本書はそれらの戦略をひも解いていきます。

私たち著者２名は、会計＆ファイナンスをビジネスの現場にどう役立てるかということを企業にアドバイスしたり、授業で教えたりしていますが、その中で数多くの経営者、学生、社会人がこの分野に関しては大変な苦労をさせられているのを目の当たりにしてきました。

その理由のひとつは、企業実務においても学問においても、会計とファイナンスがまったくの別個のものとして教えられてしまうことです。企業はお金を調達して、事業投資を行ない、収益を生み出します。どうやってお金を調達するのか、また、どのような事業に投資をするのかという意思決定は企業経営において非常に重要です。そこでは会計情報を活用したファイナンス戦略の立案が求められます。企業の実務を考えると、会計とファイナンスはまとめて理解してしまうほうが圧倒的に楽ですし、有効なのです。

しかし、たとえば大学や大学院では会計は商学部に属する会計学者が担当し、ファイナンスは経済学部に属する経済学者または金融学者が担当することが多いのが実情です。残念ながら、そのつながりはあまり意識されていません。また、教室で「いま学んでいる内容は、ゼニを最大化するために役立つ知識なんだぞ！」と言いながら講義を行なう大学教員はほとんどいません。ゆえに学ぶ側は、ビジネスの現場でそれら知識がどう活用できるのか、イメージが湧かずじまいとなってしまいます。

繰り返しますが、企業経営で最も重要なことはゼニの最大化です。この本ではその視点にこだわっています。また、従来のコーポレート・ファイナンスの本では上場企業をメインとして取り扱っていますが、世の中のほとんどの人たちは中小企業で働いています。したがって、本書では中小企業の経営者の視点をふんだんに盛り込みました。中小企業の経営者の視点は、大企業に置き換えると部門長の視点にもつながりますので、大企業勤務の方にとっても「うん、こういう本がほしかったんだよね」と思ってもらえるのではないかと思います。

ゼニのことを会計やファイナンスの世界では「現金」、またはちょっと気取って「キャッシュ」と呼びます。おそらくキャッシュという単語が本書でもっとも登場する言葉です。この言葉に出会うたびに、「よーし、ゼニの最大化のヒントが書いてあるんだな」と思いながら読みすすめてください。その度に、チャリンチャリンとお金が落ちる音がきっと聞こえることでしょう。

2013年4月

保田 隆明

専用サイトにて、
本書の理解に役立つサポートをしていく予定です。
ぜひご覧ください。
http://www.diamond.co.jp/book/9784478022108.html

あわせて学ぶ　会計＆ファイナンス入門講座
プロになるための理論と実践

もくじ

PART 2 会計とファイナンスの基礎知識

PART 3 会計を生かしたファイナンス戦略

会計と
ファイナンスの関係

Accounting
&
Corporate Finance

01 「会計」と「ファイナンス」はヘルスメーターとアスリートの身体づくりの関係

ヘルスメーターがアスリートの身体づくりをチェックする

アスリートは自分のパフォーマンスを上げるため、筋力や持久力を向上させるトレーニングをします。また、栄養バランスの取れた食事を摂ることに気を使うでしょうし、トレーニング後のクールダウンやストレッチ、マッサージや針治療など身体のメンテナンスもします。さらに、ケガをしたときには身体を回復させるために治療やリハビリテーションもするでしょう。

1-1. アスリートの身体づくりとヘルスメーターの関係

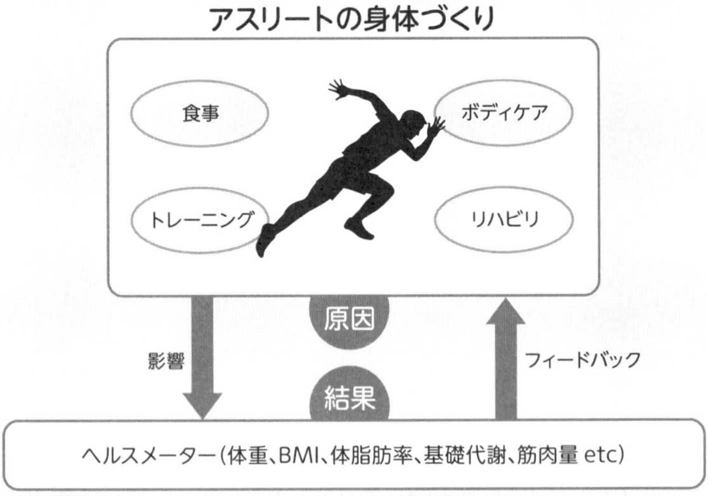

1-2. 会計とファイナンスの関係

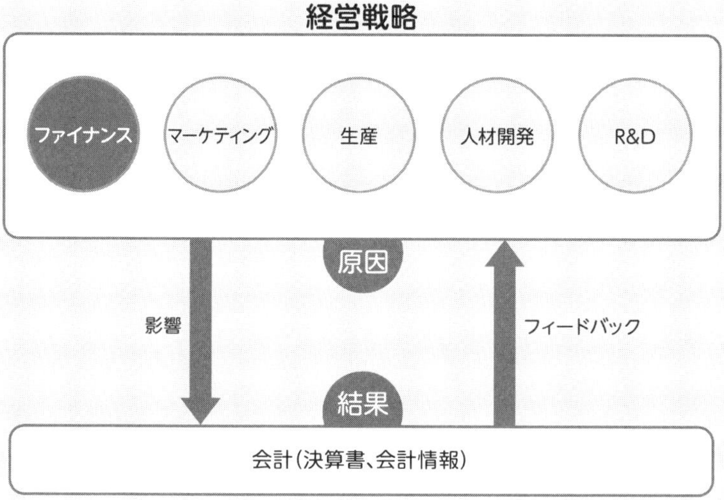

このように、アスリートは、自分が日頃行なっている身体づくりのための取組みが目標どおりの成果をきちんと上げているかどうか、定期的にヘルスメーターで体重、BMI、体脂肪率、基礎代謝、筋肉量などの数値をチェックしています。ヘルスメーターで計測できる、これらのデータが目標の数値を達成したら、日頃の取組みが正しいことを確認できますし、さらに次の高い目標を設定するといった具合になるでしょう。逆に、目標の数値に達しない場合は、それまでの取組みについて、どこかに問題があるのではないかと検討し、内容を見直すといったことも必要となります（図表1-1）。

このプロセスを繰り返すことで、アスリートの身体づくりを進化させていくことができるわけです。身体づくりのための取組みが「原因」であり、ヘルスメーターで計測されるデータが「結果」である、ということができるでしょう。

戦略を実施した結果のまとめが会計情報

戦略的思考を持っている会社は、マーケティング、生産、人材開発、R&D（研究開発）などの活動について経営戦略を策定しています。ファイナンスというのは、実は、マーケティング戦略などと並列する経営戦略のひとつなのです。会社はそうした経営戦略を具体的に実行することによって、何らかの結果が表れることになります。したがって、会計（もう少し正確に言うと決算書などの会計情報）とは、「会社が実行した経営戦略の結果を表したもの」ということができるでしょう（図表1-2）。

前述したアスリートの身体づくりの例でいえば、トレーニング、食事、ボディケアやリハビリテーションが会社に置き換えるとファイナンスなどの「**経営戦略**」となり、ヘルスメーターで得られる体重、BMI、体脂肪率、基礎代謝、筋肉量などのデータが「**会計情報**」ということになります。マーケティングやファイナンスなどの戦略が原因となって、商品・サービスが認知される、売上や利益が上がる……という結果が表れ、それが会計情報に反映されるのです。

02 なぜファイナンスを理解するために会計を学ぶのか？

ファイナンス以外の戦略と会計の関係

ファイナンスを理解するためには会計に関する基本的な知識が必要であるといわれています。ファイナンスと会計の関係については、ファイナンスが経営戦略のひとつであり、会計が経営戦略の結果を表した情報であると説明しました。経営戦略の中には、ファイナンスのほか、マーケティング、生産、人材開発やR&Dなどありますが、ファイナンス以外の経営戦略については、それらを理解するために会計の知識が必要であるといわれることはほとんどありません。それはいったいなぜでしょうか？

これは、マーケティング、生産、人材開発やR&Dなどの経営戦略がいかに少ない費用で多くの収益を上げ、その結果として利益を獲得できるか、という形でマネジメントするものであり、会計との関係が比較的単純だからといえます。極論すると、会計に関する詳しい知識なんてなくともマーケティングなどの経営戦略を理解することも、立案・実行することもできるわけです。

ファイナンスで決算書をマネジメントする

これに対して、ファイナンスは、企業価値の向上を目的とした経営戦略です。詳細は後のPARTに譲りますが、ファイナンスの世界では企業の実力のことを「企業価値」という言葉で定義します。そして、この企業価値は、将来獲得するキャッシュフローの大きさによって決まります。キャッシュフ

1-3. なぜファイナンスのために会計を学ぶのか？

▶会計との関係の強さ

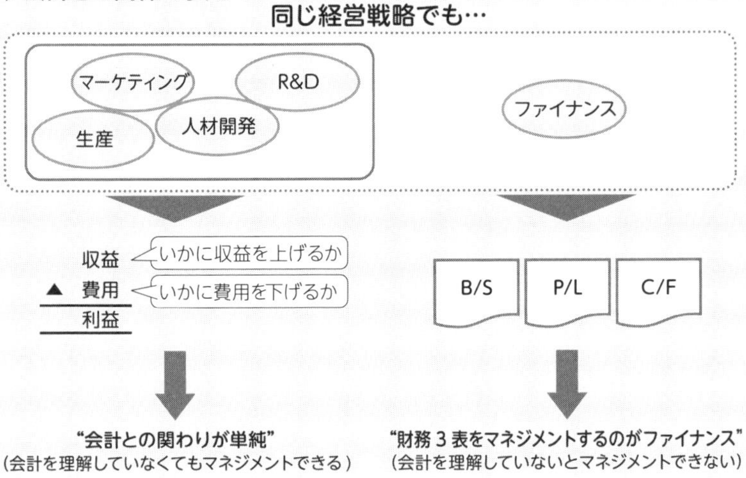

ローは文字どおり、企業の事業活動によって生じる「キャッシュの出入り」を意味するわけですが、これは会計情報のひとつであるキャッシュフロー計算書（C/F）に表れます。

そして、このキャッシュフロー計算書は貸借対照表（B/S）と損益計算書（P/L）をもとにして作成されているのです。つまり、ファイナンスは、貸借対照表（B/S）、損益計算書（P/L）およびキャッシュフロー計算書（C/F）から構成される財務３表そのものをマネジメントするための経営戦略です（財務３表については後述します）。換言すると、財務３表という会計情報の構造を知らないとファイナンス戦略を理解することも使うこともできないのです（図表1-3）。

03 ファイナンスは企業価値を最大化するための「経営戦略」

ファイナンスの目的

ファイナンスは、マーケティングなどと同じ経営戦略のひとつです。では、「ファイナンス」って、いったいどんなことをするための戦略なのでしょうか？ 目的は何でしょうか？

一般的に、ビジネスパーソンが「ファイナンス」という言葉を聞いて連想するのは、「どうやら企業のお金を扱う話のようだ」といった漠然としたイメージではないでしょうか。巷で「○○ファイナンス」のような消費者金融会社を見かけることがあるため、「誰かにお金を貸すこと」などのイメージを持っている人も少なくありません。また、ファイナンス＝金融商品という印象を持っている人も多く、「資産運用」というイメージも強いようです。ファイナンスという英語を直訳すると「金融」といった意味ですので、そのような一般的なイメージはけっして間違いではありません。

ただし、本書で扱うファイナンスの世界は「企業が実践する経営戦略としてのファイナンスである」と最初にお断りしておきます。このようなファイナンスの世界のことを少し専門的な言い方をするならば**「コーポレート・ファイナンス」**（または「財務戦略」）と呼んでいます。本書では、以下、コーポレートファイナンスのことを単に「ファイナンス」と記述していくことにします。

企業が具体的に実行するファイナンス戦略としての活動は、「資金を調達する」「資金を投資（運用）する」「投資家に資金を還元する」といった内容に集約されます。

その目的は「企業価値を最大化する」ことです。企業価値を最大化するためにはどのように資金調達するのがよいか、企業価値を向上させるためにはどのプロジェクトに投資すればよいか、といった経営課題に対する答えを出すのがファイナンスの世界なのです。

なぜ、上場企業は企業価値を最大化する必要があるのか？

ファイナンスの目的は「企業価値の最大化」にあります。上場企業が株主総会や事業計画書の中で「企業価値を向上させるために……」と述べているのは、まさにファイナンス戦略について触れているのです。企業価値を向上させるための上場企業の取り組みが日本経済新聞などの記事で紹介されることもしばしばあります。

ところで、なぜ、上場企業は企業価値を最大化する必要があるのでしょうか？　あるいは、最大化したいのでしょうか？

それは、上場企業は、常に投資家にとって魅力的な存在でなければならないからです。上場企業は、幅広い投資家から機動的に資金を調達できるよう株式市場に自分たちの株式を公開しています。つまり、株式を上場させることによって、誰でもその企業の株式を買ったり売ったりできるようにしているのです。企業は、いざキャッシュが必要というときに投資家からすんなりと資金を調達できるようにしておきたいと考えています。したがって、資金を調達しようとする企業が自社の株式を投資家に買ってもらうためには、将来値上がりするであろう魅力的な投資対象にしておく必要があるわけです。

また、いったん自社の株式を買ってもらった投資家に対して、企業はずっと安定的に株式を保有し続けてほしいと考えます。なぜなら、売却されると株価が下がりますし、企業がいったん株式を上場して誰でも株主になれる状態になると、敵対的買収（自社の経営陣が歓迎しない株主からの買収）を仕掛けられて自社を乗っ取られる可能性が常にあるからです。企業は、敵対的買収が仕掛けられたときでも既存株主には自社の株式を売り渡さないでほしいと期待するわけです。そのためにも、株主には、敵対的買収者に売り渡すよりも現経営陣に経営をまかせたほうが、株は将来値上がりすると信じてもらわないといけないのです。

このように上場企業は、今の経営陣に会社をまかせておくのが一番であると投資家から信じてもらう必要があります。理論的には、上場企業の株価は、企業価値が向上すれば、それにともなって上がることになります。上場企業が常に企業価値の最大化を図らなければならない理由はここにあります。

中小オーナー企業にとってのファイナンス戦略とは？

企業価値を最大化すること、つまり、ファイナンス戦略の実践が、幅広い投資家から資金を調達する上場企業にとって必要であることは理解できたと思います。一方、中小オーナー企業は、幅広い投資家から資金を調達することはないため、通常、「企業価値の最大化」などということは考えることはありません。

では、中小オーナー企業にとってファイナンス戦略は無用の長物なのでしょうか？

けっしてそんなことはありません。企業価値は将来獲得するキャッシュフローの大きさによって決まります。つまり、企業価値を最大化することは、将来生み出すキャッシュフローを最大化することにほかなりません。将来のキャッシュフローを増やすことは、上場企業であるかどうか、企業規模のいかんにかかわらず、あらゆる企業に共通したテーマであるはずです。

したがって、中小オーナー企業にとってのファイナンス戦略は、「将来のキャッシュフローをいかに増やしていくか」を追求する経営戦略といえるのです。

これは上場企業についても当然あてはまります。企業価値やファイナンス戦略は株価うんぬんで語られることが多いのですが、株価は将来のキャッシュフローの現在価値の合計金額から算定される結果でしかありません。

04 ファイナンスと密接な「財務会計」意思決定のための「管理会計」

会計とファイナンスは密接な関係にあると前述しました。ここでは、もう少し踏み込んでお話しすることにしましょう。

会計には、その目的の違いによって、**「管理会計」**と**「財務会計」**という2つの種類があります。

管理会計は、経営者や経営管理者が自社の経営意思決定のために用いる会計のことをいいます。したがって、取引をどのように処理するか、管理会計情報をどのように使うか、といったルールは会社が独自に決めればいいことになります。

これに対して、財務会計は、会社が外部に公表するために設けられた制度としての会計です。会社は、決算を締めると税務申告をするために決算書を作成します。また、借入をしている会社であれば、金融機関に対して決算書を提出することもあります。上場企業であれば、証券取引所で決算を発表しますし、財務局に対して決算情報が記載されている有価証券報告書を提出します。このような外部に公表する決算書の作成方法については、企業が個別に独自の方法で行なうと、銀行も税務署も他社との比較がやりにくくなります。そのため当局が厳密なルールを設けていて、会社はこのルールに則って決算書を作成しなければなりません。会社が作成方法や運用方法を自由に決められる管理会計とは対照的です。

ファイナンスと密接な関係にある会計というのは財務会計のことですので、頭の片隅に入れておいてください。

05 会計は「利益」、ファイナンスは「キャッシュ」

ファイナンスと財務会計を比較する

以上を踏まえ、会計（財務会計）とファイナンスについて、両者を比較しながら整理してみましょう（図表1-4）。

まず、誰のためのものかという点については、会計が**「投資家や税務当局のため」**の制度であるのに対して、ファイナンスは**「経営者のため」**の戦略として存在しています。

上場企業の場合、資本市場に参加している投資家を保護するため、正しい会計情報を公開しなければならないという要請から財務会計のルールに則って作成された財務3表（18頁参照）を会社は公表しています。また、法人税を正しく計算して適正に納付してもらいたい税務当局も同様に財務3表に基づいた税務申告を求めています。つまり、会計が**「正しい利益（所得）の計算」**を目的としている制度であるのに対して、ファイナンスは**「企業価値の向上」**（将来のキャッシュフローの増加）を目的とした経営戦略です。

また、会計は会社が実行した経営戦略の結果が反映された**「過去」**の情報であるのに対して、ファイナンスは会社の**「未来」**を決める経営戦略ということができます。

そして、会計の主役は**「利益」**であるのに対して、ファイナンスの主役は**「キャッシュ（フロー）」**、つまり現金です。たとえば、上場企業の決算発表では「経常利益が前年同期と比較して5%増加しました」「1株あたり利益は100円になります」といった具合に説明されることが一般的であり、「毎期の利益がいくらになるのか」に投資家の関心が注がれます。一方、ファイ

1-4. 会計とファイナンスの比較

会計（財務会計）		ファイナンス
投資家・税務当局	誰のため？	経営者
正しい利益（所得）の計算	目的	企業価値の向上
過去	いつ？	未来
利益	主役	キャッシュ（フロー）
会計方針によって利益額は いくらでも変わる 毎期の利益金額は安定させられる	特徴	キャッシュ金額はひとつしかない 毎期のキャッシュ（フロー）は デコボコする
会計は人為的な計算	特徴の原因	キャッシュの出入りはお小遣い帳
↓ **利益は「意見（主張）」**		↓ **キャッシュは「事実」**

ナンスの世界では、キャッシュフローの多寡が企業価値を決めるため、「キャッシュがいくら増減するのか」がテーマとなります。

会計は曖昧、ファイナンスは明確

会計で計算される利益の金額は、会計方針によって大きく変わってくるという特徴があります。たとえば、会社が設備投資を行ない、機械などの固定資産を5,000万円で購入したというケースを考えてみましょう。

会社はこのような固定資産を使い事業を行なうことによって収益を上げていくため、固定資産の購入代金を取得した決算期にいっぺんに費用として処理することはしません。将来にわたって獲得していく収益に対応させる形で少しずつ費用に計上していきます。これを会計の専門用語で「減価償却」といいます。このケースにおいて、機械の購入代金5,000万円を5年間で均等

1-5. 現金の動き

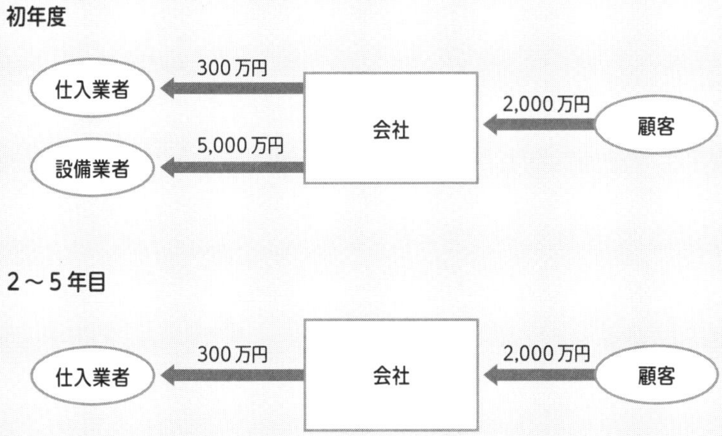

額ずつ償却していけば毎期の減価償却費は1,000万円（＝5,000万円÷5年）となりますが、10年間で償却していけば毎期の減価償却費は500万円（＝5,000万円÷10年）となります。したがって、収益から減価償却費を含む費用を差し引いて求められる利益は、どのように減価償却を行なうかによって、まったく異なる結果となります。

このことを理解するため、図表1-5のようなケースを考えてみましょう。初年度に設備業者から機械を5,000万円で購入します。このケースでは、1年目から5年目まで毎期、顧客に対する売上が2,000万円、業者に対する仕入が300万円という単純な取引が行なわれているものと想定します。

この会社の1年目から5年目までの収支を損益計算書の形で作成してみましょう（損益計算書については次のPARTで詳しく解説しますが、会社の儲けを表す決算書だと理解してください）。図表1-6は、機械を5年で償却する場合と10年で償却する場合の損益計算書を示しています。最終的な利

1-6. 減価償却のやり方によって「利益」は変わる

損益計算書(設備を5年で償却する場合)

(単位:万円)

	X1期	X2期	X3期	X4期	X5期
売上高	2,000	2,000	2,000	2,000	2,000
売上原価	300	300	300	300	300
粗利	1,700	1,700	1,700	1,700	1,700
減価償却費	1,000	1,000	1,000	1,000	1,000
利益	700	700	700	700	700

損益計算書(設備を10年で償却する場合)

(単位:万円)

	X1期	X2期	X3期	X4期	X5期
売上高	2,000	2,000	2,000	2,000	2,000
売上原価	300	300	300	300	300
粗利	1,700	1,700	1,700	1,700	1,700
減価償却費	500	500	500	500	500
利益	1,200	1,200	1,200	1,200	1,200

1-7. どのように償却しても「キャッシュフロー」は変わらない

キャッシュフロー計算書

(単位:万円)

	X1期	X2期	X3期	X4期	X5期
顧客からの売上収入	2,000	2,000	2,000	2,000	2,000
原材料の仕入支出	▲300	▲300	▲300	▲300	▲300
設備投資支出	▲5,000				
キャッシュフロー	▲3,300	1,700	1,700	1,700	1,700

益は、5年で償却すると700万円、10年で償却すると1,200万円という具合に異なる結果になります。

ところが、図表1-7に示すキャッシュフロー計算書を見てください（キャッシュフロー計算書についても次のPARTで触れますが、ここでは会社の資金繰りを示す決算書だと理解してください）。キャッシュフローは会社の行なったキャッシュの受け取りや支払いといった事実だけを表していますので、会計上、どのように減価償却を行なおうと関係ありません。

つまり、会計の世界で求められる利益は、（信じられないかもしれませんが）どのような方針で収益や費用を計算するかによっていくらでも変えることができるし、恣意的な数字を作ることさえできてしまうのです。また、まったく同じ取引についても会社が違えば異なる会計処理が行なわれることだってあります。同じ業界に属する複数の会社の業績を比較する際、本来であれば、このような会計処理の違いを調整しなければ意味がないわけです。

このような曖昧な会計の世界は、シロクロはっきりつけたい人にとっては気持ちが悪いかもしれません。でも、それが会計の大きな特徴であると理解しておく必要があります。一方、ファイナンスの主役であるキャッシュは、どのように計算しても答えはひとつしかありません。図表1-7を見るとわかりますが、5,000万円の機械を購入した場合、設備投資した決算期に5,000万円のキャッシュが会社から出て行ったという事実は誰も否定のしようがありません。それ以降、減価償却を5年で行なおうが10年で行なおうが、減価償却費に相当する1,000万円や500万円というキャッシュが実際に会社から出て行くわけではありません。これは会計が扱う利益とファイナンスが扱うキャッシュの大きな違いです（図表1-8）。

会計の利益は安定、ファイナンスのキャッシュはデコボコ

これに加えて、会計においては、会社の利益は継続して行なわれる企業活

1-8. 利益とキャッシュフローのギャップ

減価償却費は現金支出を伴わない費用（設備を5年で償却する場合）

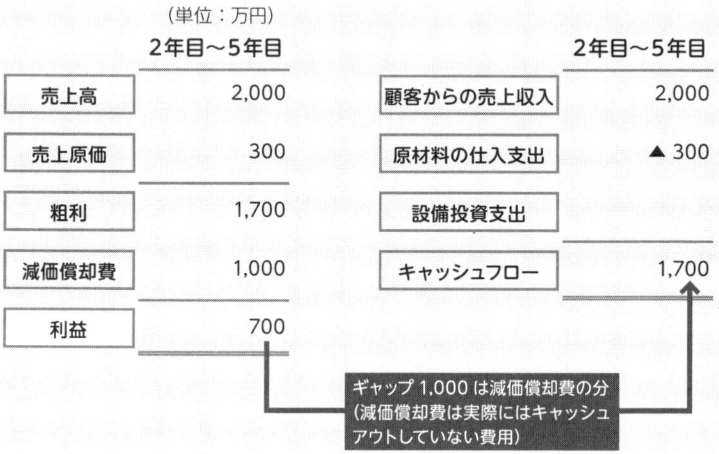

動の結果、少しずつ生み出されると仮定するため、固定資産の減価償却費の計算に代表されるように、あらゆる会計方針は毎期の利益が平準化されるように決められています。これに対して、ファイナンスという経営戦略の世界では、キャッシュの出入りはあくまで経営戦略の結果であり、会社の意図したとおりになるとは限りません。そのため、会計上の利益が毎期安定する傾向にあるのに対して、毎期のキャッシュフローやキャッシュ残高はデコボコする傾向にあります。

　こうした両者の違いは、**会計が人為的に利益を計算する制度**であるのに対して、**ファイナンスがキャッシュという事実に着目する**、という特徴から導かれています。これが「利益は意見（主張）であり、キャッシュは事実である」といわれる所以《ゆえん》なのです。

会計と
ファイナンスの
基礎知識

Accounting
&
Corporate Finance

01 財務３表 (B/S、P/L、C/F) から、どんなことがわかるのか

財務３表とは、**貸借対照表（B/S）**、**損益計算書（P/L）**、および、**キャッシュフロー計算書（C/F）**のことをいいます（図表2-1）。財務３表を理解するには、企業の事業活動をイメージしてみるとわかりやすいです。

あらゆる企業は、事業活動に必要な資金を債権者（金融機関や社債購入者）や株主から調達しています。たとえば、銀行は金利の受取りというリターンを見返りとして、企業に対して資金を貸し付けています。中小オーナー企業はオーナー経営者が自ら株主になっていますが、上場企業には不特定多数の株主が存在し、増資（新たに株式を発行し、投資家に購入してもらう）という形で広く一般株主から追加で資金を調達することも可能です。株主は配当の受取りや株価の上昇（キャピタルゲイン）を見返りとして企業に資金を提供しているわけです。

企業は、利益を上げるために調達した資金を運用（事業に投資）し、それによって得た商品や設備などの資産を使って体外的な取引を行ないます。そして、企業が行なう取引活動の結果、収益や費用が発生し、利益が生み出されることになります。

このような企業活動と財務３表の関係を整理してみましょう（図表2-2）。

資金の調達先と運用先がわかるB/S

貸借対照表は、「バランスシート（Balance Sheet）」または単に「B/S」と呼ばれることも多く、「決算日時点における資金の調達と運用（使い道）の状況」を表しています。B/Sは左右２つに区分されていて、右側は、債権

2-1. 財務３表とは？

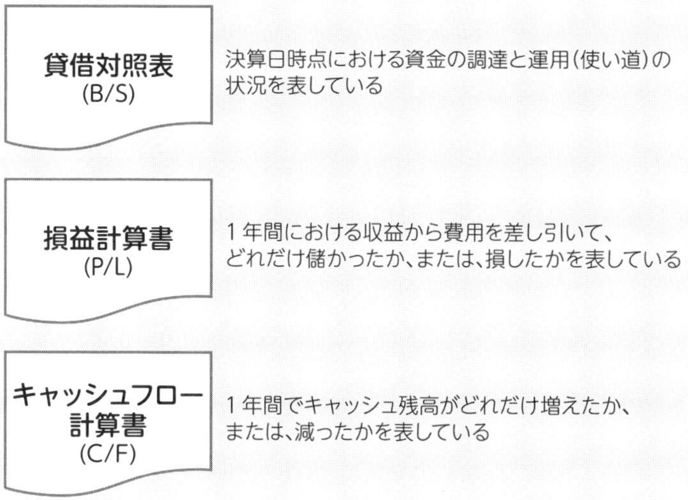
貸借対照表
(B/S)
決算日時点における資金の調達と運用(使い道)の
状況を表している
損益計算書
(P/L)
1年間における収益から費用を差し引いて、
どれだけ儲かったか、または、損したかを表している
キャッシュフロー
計算書
(C/F)
1年間でキャッシュ残高がどれだけ増えたか、
または、減ったかを表している

2-2. 企業活動とB/S・P/L

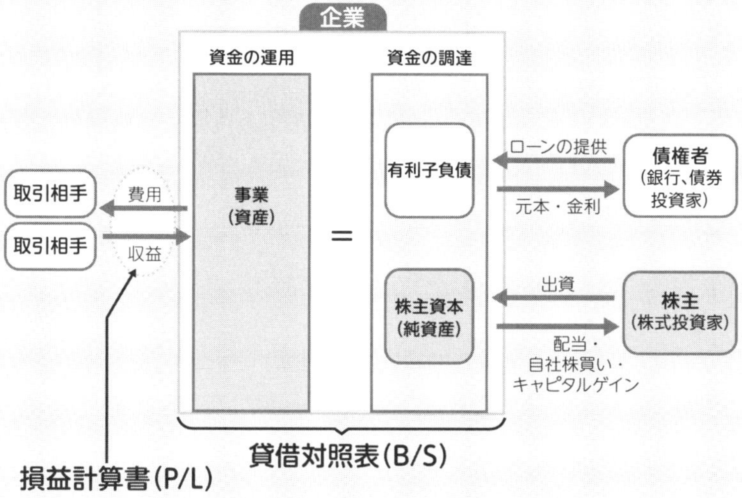
企業
資金の運用
資金の調達
事業
(資産)
=
有利子負債
株主資本
(純資産)
取引相手
取引相手
費用
収益
ローンの提供
元本・金利
債権者
(銀行、債券
投資家)
出資
配当・
自社株買い・
キャピタルゲイン
株主
(株式投資家)
貸借対照表(B/S)
損益計算書(P/L)

者（金融機関や社債購入者）や株主から調達した資金の内訳を示しています。B/Sの左側からは、債権者や株主から調達した資金をどのように運用（事業に投資）しているかがわかるようになっています。「バランスシート」と呼ばれるのは、債権者や株主から調達した資金の残高（右側）と調達した資金の運用残高（左側）が常に一致して金額的にバランスしているからです。

どれだけ稼いで儲けたかがわかるP/L

損益計算書（Profit and Loss Statement：P/L）は、「1年間における収益から費用を差し引いて、どれだけ儲かったか、または、損したか」を表しています。P/Lを見れば、会社が行なう取引活動にともなって、1年の間にどれだけ売上を上げたのか、原価や経費をどのくらいかけたのか、その結果、どれだけ利益または損失を出したのか、ということがわかります。

ところで、B/SとP/Lは密接に関連しています。1年間における取引活動の結果、どれだけ儲かったか（または損したか）を示しているP/Lは「フロー」の概念ということができます。これに対して、決算日時点における資金の調達と運用の状況を示しているB/Sは、いわば企業の財務内容をスナップショットで捉えた「ストック」の概念です。過去何年にも及ぶ企業の取引活動の結果であるP/Lの蓄積がB/Sにほかなりません。したがって、P/Lは「原因」、B/Sは「結果」を表しているということもできます。

キャッシュがどれだけ増えたかがわかるC/F

キャッシュフロー計算書（Cash Flow Statement：C/F）は、「1年間でキャッシュ残高がどれだけ増えたか、または、減ったか」を表しています。C/Fを見れば、期首にあったキャッシュ残高が期末までにどれだけ増えたか、または、減ったのか、がわかるばかりでなく、どのような要因によって増減したのかを理解することができます。

02 B/Sは3つの基本項目と5つの箱で理解する

会計の勉強をしたことのある人がよく口にするのが、B/Sはわかりにくいということです。

簡単に言ってしまえば、B/Sは**「資産」「負債」「純資産」**という3つの箱から構成されているにすぎません。B/Sの左側が資産、右側が負債と純資産ということだけ覚えておけば十分でしょう。

企業は事業活動を行なうにあたり、資金を債権者（主に銀行）と株主から調達しますが、債権者から調達した資金が「負債」であり、株主から調達した資金が「純資産」となります。そして、企業は調達した資金を活用するわけですが、その対象が「資産」というわけです。

図表2-3では、資産を「流動資産」と「固定資産」のふたつに分けるとともに、負債を「流動負債」と「固定負債」のふたつに分けることによって、B/Sを5つの箱で表現しています。ただ、あくまでB/Sの基本は、資産、負債、純資産という主要項目から成り立っていると理解してください。

1年以内に現金にできる流動資産

流動資産の主な内容は、「現金預金」「たな卸資産」「売掛金」などです。厳密には「正常営業循環基準」というルールに基づいて資産を流動資産にするか、固定資産にするかどうかを決めるのですが、「1年以内にキャッシュ化できる資産」が流動資産なんだと理解しても差し支えありません。

（ちなみに、「正常営業循環基準」とは、貸借対照表の資産・負債を流動資産・負債と固定資産・負債に区分するためのルールのひとつであり、正常な

2-3. 貸借対照表(B/S)の概要

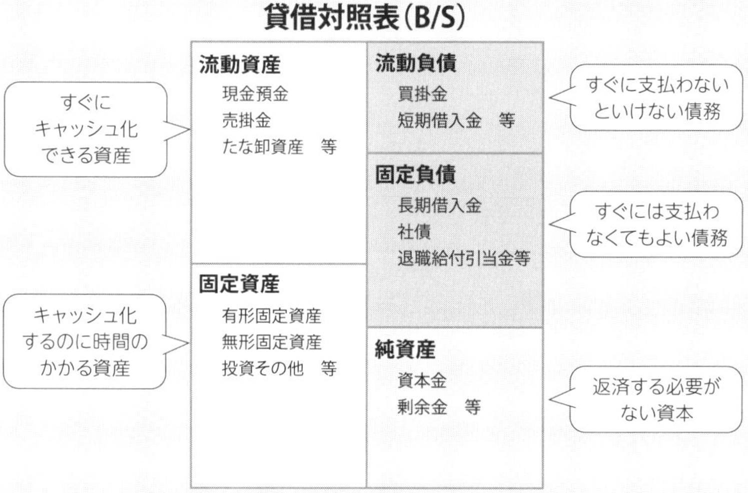

営業取引の過程にある資産・負債を流動資産・負債とみなすという基準です。正常な取引過程で発生する売掛金、たな卸資産、買掛金などはキャッシュ化されるのが1年を超える場合でも流動資産・負債とし、その他の資産・負債についてはキャッシュ化されるまでの期間が1年以内か1年を超えるかによって流動資産・負債か固定資産・負債に区分します。)

「現金預金」は、金庫の中に入っている札束のほか、銀行に預けている預金も含まれます。ファイナンスの世界でキャッシュと呼んでいるのは、まさにこの現金預金のことを指しています。一般的に、会社を設立したばかりの時点では、B/Sの左側、つまり、資産はキャッシュしかありません。そして、企業が事業活動を実際に始めると、たとえば製造業の場合、そのキャッシュで原材料を購入して製品を製造したり、その製品を顧客に販売して売掛金が発生したり、B/Sの資産の箱の中身はどんどん変わっていくことになります。

「たな卸資産」は、原材料を購入したり商品を仕入れたりした場合に、その在庫が流動資産に計上されるものです。B/Sの左側を見ると調達した資金をどのように運用（投資）しているかがわかるようになっていると前述しましたが、企業はまさに資金を使って原材料や商品に投資していることから、それらの在庫が「たな卸資産」として計上されるわけです。在庫は企業が顧客に販売するまでB/Sに「たな卸資産」として残ります。

「売掛金」は、企業が顧客に在庫やサービスを掛けで販売した時点でB/Sに計上されます。小売業以外の通常の企業間取引では、販売時点に現金で決済されることはないでしょうから、ほとんどの企業においては在庫やサービスが販売された時点で売掛金が計上されることになります。

たとえば、100万円の商品を2か月後の支払い（入金）で掛け売りすれば、B/Sには2か月間100万円の売掛金が計上されます。入金されるとこの100万円の売掛金は消えて、代わりに100万円の現金がB/Sに計上されます。

回収まで長い時間がかかる固定資産

固定資産は、「キャッシュ化されるまでに1年以上の長い時間がかかる資産」をいいます。たな卸資産や売掛金など、投資されてから数か月という短期間のうちにキャッシュ化される流動資産に対して、固定資産は工場設備や店舗建物など、投資されてからキャッシュ化されるまでに何年もかかるような資産です。

固定資産は、その内容によって「有形固定資産」「無形固定資産」「投資その他」にさらに分類されます。

「有形固定資産」は、本社や工場、店舗などの建物、それに附属する設備、機械といった具体的に形のある資産です。企業が製品を製造したり、商品やサービスを提供したりするための設備ですから、長期間にわたって事業活動に用いられ、投資金額を回収（キャッシュ化）するまでに時間がかかることがイメージできるかと思います。

「無形固定資産」は、ソフトウェア、知的財産権、のれんなど、有形固定資産のように具体的な形のない固定資産です。事業のために利用するこれらの無形固定資産は、有形固定資産と同様、長期間にわたって事業活動に用いられるため、キャッシュ化されるまでに時間がかかるのが特徴です。

有形固定資産と無形固定資産は、収益を上げたりコストを削減したりといった形で長期間にわたって事業に貢献する資産であるため、ある特徴的な会計処理が行なわれることになります。それがPART 1でも説明した減価償却という手法です。

両者は、取得した事業年度だけに収益貢献する資産ではなく、将来にわたって何年も事業に用いられて収益を生み出します。そのため、取得した決算期に全額をP/L上の費用として処理してしまうと、収益と費用が対応しなくなってしまい、P/Lが事業活動の実態を正しく表さなくなってしまいます。そこで、有形固定資産と無形固定資産については、それらが利用される期間にわたって、毎期の費用として処理する減価償却という会計処理が行なわれるのです（13頁以降を再度確認してください）。

固定資産の最後のひとつは、**「投資その他」**です。投資その他の主なものは、企業が余裕資金を運用するために投資した有価証券やゴルフ会員権、保険の積立金などです。企業が長期間にわたって運用することを前提としているため、このような運用資産も固定資産に分類されます。

1年以内に返済しなければならない流動負債

流動負債は、「すぐに支払わなければならない債務」のことをいいます。「すぐに」という部分は「1年以内」という理解で結構です。流動負債に属する主なものは「買掛金」や「短期借入金」です。

「買掛金」は、企業が仕入先から材料などを掛けで購入したときにB/Sに計上されます。先ほどの売掛金の逆です。やはり、小売業以外の通常の企業間取引では、仕入時に現金で決済されることはないでしょうから、ほとんどの企業においては材料などを仕入れたときに買掛金が計上されることになります。原材料を購入したり商品を仕入れたりする場合に、その在庫が流動資産に計上されますが、このとき買掛金も同時に計上されることになります。

資金の調達と運用の状況を示すのがB/Sであると前述しましたので、買掛金は銀行借入と違って資金の調達ではないのでは？　と思われるかもしれませんが、買掛金も資金調達のひとつの形態です。なぜなら、本来であれば在庫を仕入れたときに購入代金をキャッシュで支払わなければなりませんが、掛けで仕入れるという信用取引が許されるからこそ、手許にキャッシュがなくとも在庫に投資することができるわけです。仕入先に少しの間だけお金を用立ててもらっているのと同じようなものです。在庫の仕入時に流動負債に計上された買掛金は代金を支払うまでの間B/Sに残り、代金をキャッシュで支払った時点で流動負債の箱の中から消えてなくなります。同時にB/Sの左側からは現金が同額減ります。

「短期借入金」は、「借入金のうち1年以内に返済が予定されている借入金」のことをいいます。金融機関から1年以内に返済することを条件に融資を受けた借入金のほか、5年といった長期間にわたって返済する条件の借入金のうち1年以内に返済する予定の借入金残高を「短期借入金」に計上します。

しばらくは返済しなくてよい固定負債

固定負債は、「すぐに支払わなくてもよい債務」です。買掛金や短期借入金など、短期間のうちにキャッシュで支払わなければならない流動負債に対して、固定負債は長期借入金や退職給付引当金などキャッシュで支払われるまでに何年もかかるような負債のことをいいます。

「長期借入金」は、「借入金のうち返済期限が1年を超えて到来する借入金」のことをいいます。金融機関からの長期借入金のほか、投資家向けに発行した長期の社債も固定負債に分類されます（社債についてはPART 4で解説します）。

「退職給付引当金」は、「将来発生する従業員の退職金の支払いにそなえて計上する債務」のことをいいます。退職金制度のある企業では、従業員が退職するときに退職金を支給しますが、会計の世界では、退職金を「給与の後払い」と考えます。つまり、退職金という費用は従業員が退職したときに突如として発生するものではなく、従業員は企業に勤務し始めてから辞めるまでの期間にわたって事業活動に貢献しているのだから、将来発生する退職金を従業員の勤続期間にわたって毎期の費用として処理しましょう、という発想です。そして、従業員への退職金の支払いはだいぶ先のことですから固定負債に分類します。

従業員の努力によって企業は収益を上げることができるのですから、収益との対応を図るという意味からも企業活動の実態を反映しているといえるでしょう。

返済不要の純資産

「純資産」とは、「返済する必要のない資本」です。資金の調達を表すB/Sの右側に計上される点では流動負債や固定負債と同じですが、負債が返済しなければならない債務であるのに対して、純資産は返済する必要がないという点で特徴的です。純資産の主な内訳は「資本金」と「剰余金」です。

「資本金」は、「株主から払い込まれた資金」のことをいいます。会社を設立するときに株主から出資を受けた資金や、その後の増資によって追加で払い込まれた資金も資本金に計上されます。

「剰余金」は、さらに「資本剰余金」と「利益剰余金」に分類されます。

「資本剰余金」は「株主から払い込まれた資金のうち資本金に計上されないもの」をいいます。なぜ株主からの払込資金のうち資本金に計上されないものがあるのかというと、「資本金」が大きくなると税金が高くなるので税額を抑えるために資本金をなるべく少なくしておこうという意図が企業にあるのです（そのほか、資本剰余金にしていたほうが減資しやすい、資本金が5

億円未満だと会計監査を受けなくてすむ、といった事情もあります）。

また、**「利益剰余金」**は、「企業が過去に計上した利益の累計金額」をいいます。P/Lは事業活動のフローを示し、B/Sは事業活動のストックを表していますが、それはP/Lに計上された毎期の利益がB/Sの利益剰余金にどんどんたまっていくことになるからです。そのため、利益を上げ続けている会社の純資産はどんどん膨らんでいきますが、損失を出し続ける会社の純資産はどんどん萎んでいきます。

１つ注意したいのは、利益がたまったからといって、同額のキャッシュ（現金）が積み上がっているわけではないことです。キャッシュは後で使ってしまうとなくなりますが、利益剰余金は減りません。最近、企業は内部留保を吐き出して従業員の給与をアップするべきという主張がなされたりしますが、それは利益剰余金と同額のキャッシュが積み上がっているという誤解からきています。

03 P/Lの5つの利益の違いと B/Sの関係をつかむ

B/Sが資金の調達と運用の状況を示す決算書であるのに対して、P/Lは1年間における収益から費用を差し引いて、その結果、どれだけ儲かったか、または、損したかを示す決算書です。B/Sに比べると、その仕組みは単純ですから、わかりやすいのではないでしょうか。繰り返しますが、B/Sが売掛金やたな卸資産などの残高を表すストックの概念であるのに対して、P/Lは1年間の取引から生じる収益と費用の金額を表すフローの概念です。

P/Lは、図表2-4のように取引の性格に応じて5段階の利益がわかる構造

2-4. 損益計算書（P/L）の構造

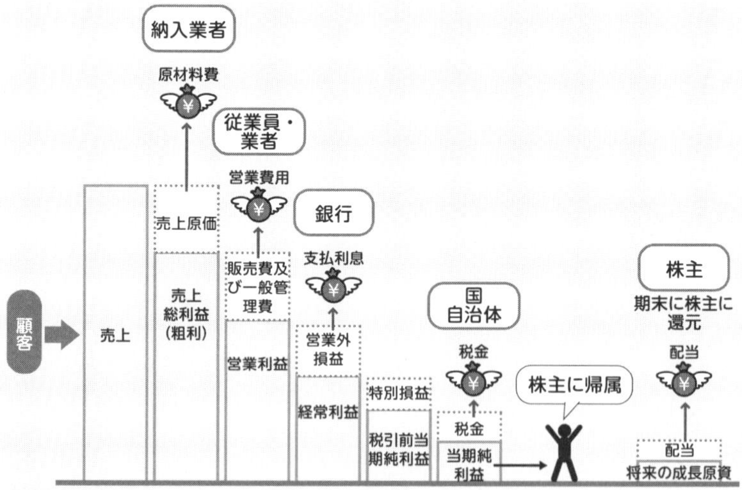

になっています。

商売の大元の利益が売上総利益

「売上総利益」とは、商品やサービスを提供することによって生み出した「売上高」から商品の仕入れや製品を作るためにかかった原材料などの「売上原価」を差し引いた利益のことです。商売の現場では販売した商品や提供したサービスに係る利益のことを「粗利益」または単に「粗利《あらり》」ということが多いと思いますが、売上総利益とはまさに粗利のことをいいます。

たとえば美容液を製造する会社で、1,000円で販売する美容液の材料費が100円であれば、売上総利益は900円です。

本業で稼いだのが営業利益

「営業利益」は、売上総利益から「販売費及び一般管理費」を差し引いた利益のことをいいます。販売費及び一般管理費は、販売促進費や広告宣伝費、旅費交通費、荷造運賃など販売活動のためにかかった販売費、それに、人件費や家賃、減価償却費など会社の管理費を合わせた営業経費です。したがって、営業利益は、「純粋に企業の本業から稼いだ利益」である、ということができます。なお、販売費及び一般管理費は、「販管費」と略して呼ばれることがあります。

先ほどの売上総利益が900円の美容液の会社で、広告費や人件費、運送費や店の光熱費、それに家賃などの費用が600円なら、営業利益は300円です。

ふだんの実力を示す経常利益

「経常利益」は、営業利益に受取利息や配当金などの「営業外収益」を加え、支払利息などの「営業外費用」を差し引いた利益のことをいいます。営業外収益や営業外費用の典型的な項目は、企業の金融関連取引から生じた収益や費用（つまり受取利息と支払利息）などです。したがって、経常利益は、「企業が経常的に稼ぎ出す実力を示す利益」ということができるでしょう。

先ほどの営業利益が300円の美容液の会社で、受取利息が10円、支払利息が60円、その他の営業外損益がなければ、経常利益は250円になります。

税金は税引前当期純利益にかけられる

「税引前当期純利益」は、経常利益に、企業の通常の事業活動以外の特別な要因によって一時的に発生した多額な損益である「特別利益」と「特別損失」を加減算した利益のことをいいます。税引前当期純利益は、1年間に生じたすべての収益からすべての費用を差し引いた利益であり、企業の法人税、住民税、事業税は、この税引前当期純利益に対してかけられます。

株主と会社のものになる当期純利益

「当期純利益」は、税引前当期純利益から法人税、住民税、事業税を控除した利益をいいます。当期純利益は、企業取引に関連するすべての利害関係者に対する支払いを終え、国・自治体に対する税金の納付も済んでいるため、株主に帰属する利益ということができます。もっとも、企業は将来の成長のための投資に備えるため、当期純利益のすべてを株主に配当することは望ましくありません。将来の成長投資に必要な利益は内部留保として蓄えておき、一部だけを配当として支払うのが一般的です。

融資の可否はB/Sの影響が大きい

P/Lはフローであり、B/Sはストックであると再三説明していますが、毎期生み出されたP/Lの当期純利益は、図表2-5のように、毎期末にB/Sの

2-5. B/SとP/L、C/Fの関係

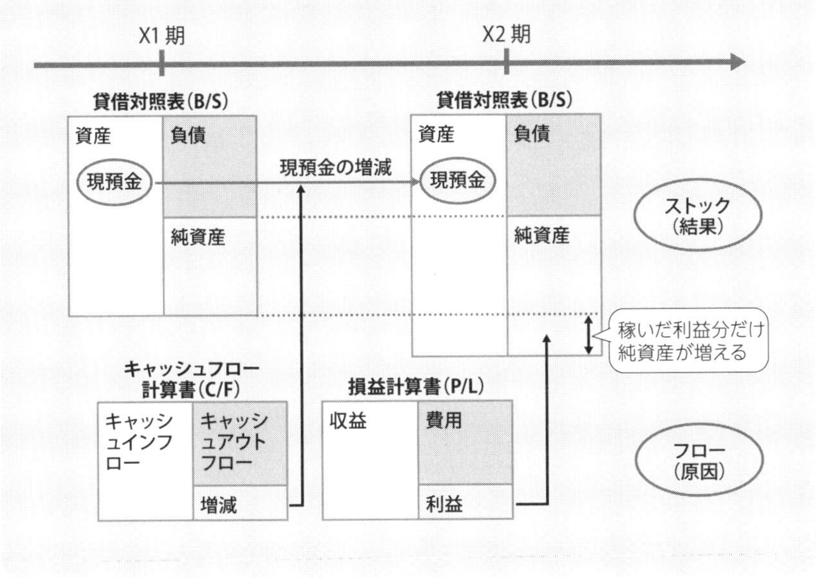

純資産に加算されていくことからもその意味が理解いただけるかと思います。

また、P/Lは原因であり、B/Sは結果であるということもできます。B/SとP/Lの関係を見てもわかるとおり、B/Sは過去何年にもわたるP/Lの蓄積であることが理解できるかと思います。したがって、不採算企業の収支構造を変革して単年度のP/Lを改善することは比較的容易にできても、過去の蓄積であるB/Sを大胆に改善することはなかなか難しいといえます。

通常、金融機関が企業に対して融資を実行するか否かは、貸したお金を企業がきちんと返済してくれるかどうかで判断されます。企業が借りたお金をきちんと返せるかどうかは、企業の財務内容で決まります。つまり、まずは企業のB/Sを見て金融機関は融資を実行するのです。過去ずっと利益を上げていた企業が一時的に赤字を出すくらいでは企業の財務内容は痛みませんから、B/Sは健全なままであり、金融機関の企業に対する融資の姿勢も変わらないでしょう。ただし、B/Sが悪い状態の企業に対する融資に関して金融

機関は慎重にならざるを得ません。

経営者の中には、P/L を良くするのは得意であるのに、B/S がどのような状態であるかという点については無頓着な経営者が少なくありません。ところが、**ファイナンス戦略の観点からは、企業は B/S をいかにマネジメントするかが大変重要**なのです。

04 キャッシュフローがわかれば黒字倒産もすぐに見抜ける

「キャッシュフロー」の意味

企業活動によって生じるキャッシュの出入りのことを**「キャッシュフロー」**といいます。企業活動によって入ってきたキャッシュ（＝キャッシュインフロー）から企業活動によって出て行ったキャッシュ（＝キャッシュアウトフロー）を差し引いたキャッシュフローをネットキャッシュフローといいますが、単に「キャッシュフロー」といった場合、どれを指しているかは実は非常に曖昧です。多くの場合、これらをすべて包含してキャッシュフローと言っています。

ところで、P/L を見れば企業がどれだけ儲かっているかわかるのに、なぜファイナンスの世界ではキャッシュフローを重視するのでしょうか？

読者の皆さんは、「黒字倒産」という言葉を聞いたことはあるでしょうか？　「え？　なぜ利益の出ている会社がつぶれるんですか⁉」と思われる方がいるかもしれませんが、現実にはこのようなことが頻繁に起きています。

「黒字倒産」はなぜ起こるのか？

図表 2-6 をご覧ください。ある会社は、1 個 100 万円の商品を 10 個仕入れました。仕入金額は合計で 1,000 万円です。このうち、2 個の商品について、1 個 150 万円で販売したため、合計 300 万円の売上を計上することができました。

この会社の今期の P/L と C/F を作成してみます。

2-6. たしかに利益は出ているけど…

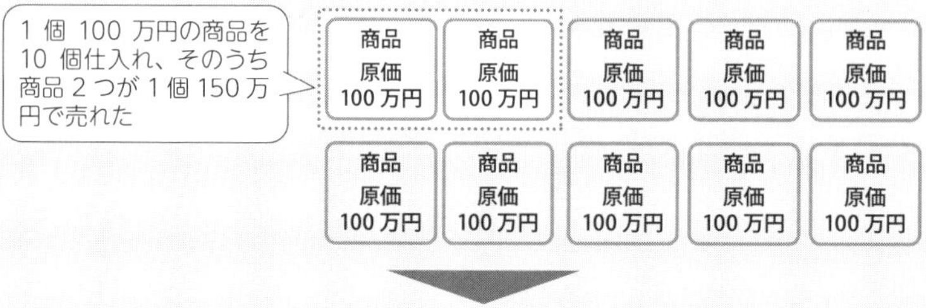

	P/L
売上高	300
売上原価	200
利益	100

	C/F
売上収入	300
仕入支出	1,000
C/F	▲700

P/L 上は黒字だが、C/F では赤字(支出超過)となっている。仕入代金の 1,000 に相当するキャッシュを用意できなかったら、事業の継続はできなくなる(= 倒産)。

まずP/Lは、売上高が300万円（= 150万円× 2個）となり、この売上高に対応する売上原価が200万円（= 100万円× 2個）ですから、差し引き利益は100万円となります。P/Lは見事に黒字となっています。こんな単純化された商売のケースで考えてみましょう。

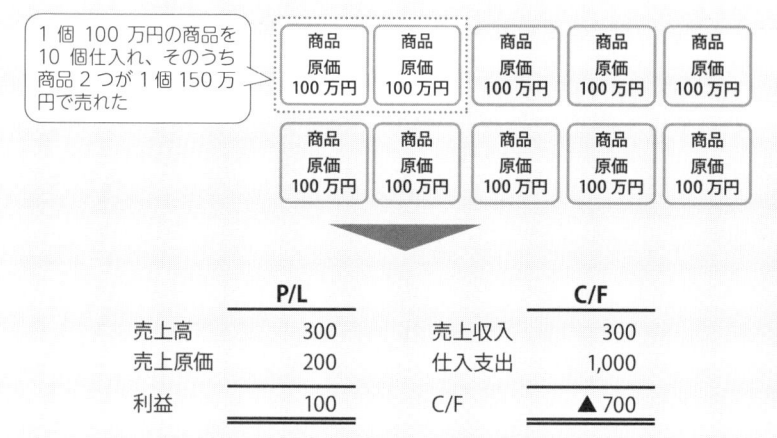

さて、C/Fはどうなるでしょうか。キャッシュインフローは売上収入の300万円（= 150万円× 2個）となり、キャッシュアウトフローは仕入に伴う支出1,000万円（= 100万円× 10個）ですから、ネットキャッシュフローは700万円のマイナスになります。

つまり、P/Lでは販売した2個の商品に関する収支のみを計上しているため黒字になりますが、C/Fでは10個のうち8個も売れ残っているという状況があるため、売上代金の収入が仕入代金の支払いによる支出をまなかいきれていない深刻な状況です。仕入代金の1,000万円を金融機関からの借入によって調達すれば納入先に対する支払いはできるかもしれませんが、将来も売れ残りを出し続けるようなことがあれば、借入金の返済原資を用意できず、どこかで会社の資金繰りは行き詰ります。

そもそも、今期の仕入代金の1,000万円を用意できなかったら、事業の継続は不可能となり、会社は倒産してしまいます。これが黒字倒産の実態ですが、中小オーナー企業では黒字倒産の危機に直面している会社が実に多く存在しています。

黒字倒産するような会社の場合、P/Lを見ただけでは利益を出しているため実態をつかめませんが、C/Fを見ればキャッシュフローの状況が悪いことをひと目で確認することができます。

05 C/Fに登場する3種類のキャッシュフローで会社の状況がよくわかる

キャッシュフローを見れば企業の経営状況がわかる

いま、前期末のキャッシュ残高が1,000、当期末のキャッシュ残高が800で当期のキャッシュフローが▲200という企業があったとします（図表2-7）。さて、読者のみなさんは、この会社の今期のキャッシュフロー（▲200）を見て、会社がどんな状況だったのか読みとれますか？

残念ながらこれだけではムリです。

2-7. キャッシュフロー計算書（C/F）

2-8. キャッシュフロー計算書（C/F）の区分

▶キャッシュフロー（CF）は、その内容によって、3つのカテゴリーに分類できる

キャッシュフローの区分	内容
営業活動によるキャッシュフロー	**本業の事業活動によって稼ぎ出したCF** CFがプラスで金額が大きいほど事業の稼ぎ力が強いことを意味する。
投資活動によるキャッシュフロー	**企業の設備投資および売却によるCF** CFがプラスだと設備などの売却収入があり、マイナスだと設備投資を行なっていることを意味する。
財務活動によるキャッシュフロー	**資金の調達および返済等によるCF** CFがプラスだと資金を調達し、マイナスだと借入返済、自社株買い、配当を行なったことを意味する。

キャッシュフロー計算書（C/F）は、キャッシュフローの性格の違いによって3つの区分を設けています。それが「営業活動によるキャッシュフロー」「投資活動によるキャッシュフロー」「財務活動によるキャッシュフロー」という3つの区分です（図表2-8）。

ただ単に前期末と今期末のキャッシュ残高を比較しただけでは、キャッシュ残高が今期中に200減少したという結果しかわかりませんが、3つに区分されたそれぞれのキャッシュフローの状況を知ることによって、企業が置かれていた経営環境、事業や商品のライフサイクル、それに対して企業が実行した戦略やその成否を理解できるようになります。

【営業活動によるキャッシュフロー】

営業活動によるキャッシュフローは、「本業の事業活動によって稼ぎ出したキャッシュフロー」をいいます。これがプラスで金額が大きいほど事業の稼ぎ力が強いことを意味します。

【投資活動によるキャッシュフロー】

投資活動によるキャッシュフローは、「企業の設備投資および設備の売却、有価証券やゴルフ会員権への投資およびそれらの売却によるキャッシュフロー」をいいます。設備の売却等プラスのキャッシュフロー（=キャッシュインフロー）と設備投資等マイナスのキャッシュフロー（=キャッシュアウトフロー）から構成されます。

企業が成長するには投資をする必要があるため（マイナスのキャッシュフローとなります）、投資活動によるキャッシュフローは営業活動によるキャッシュフローとは異なり、「プラスで大きければ大きいほどよい」というわけではありません。

【財務活動によるキャッシュフロー】

財務活動によるキャッシュフローは、「資金の調達および返済、配当や自社株買いなど株主への還元によるキャッシュフロー」をいいます。銀行借入や増資による資金調達等プラスのキャッシュフロー（=キャッシュインフロー）と借入返済、配当、自社株買い等マイナスのキャッシュフロー（=キャッシュアウトフロー）から構成されます。

なお、営業活動によるキャッシュフローから投資活動によるキャッシュフローを差し引いたものを**「フリーキャッシュフロー」**といいます。営業活動と投資活動を経て余りあるフリーキャッシュフローは、銀行などの債権者への返済か、株主に対する配当や自社株買いなどの還元に使うことのできるキャッシュです。最終的には債権者と株主という投資家に帰属する（分配される）ことになるため、「投資家が自由に使うことのできるキャッシュ」という意味で、フリーキャッシュフローと呼ばれています。フリーキャッシュフローについては、PART 6で詳しく扱いますので、今のところは「そんな

2-9. 3つの区分を見れば会社の状況がわかる

▶同じキャッシュフロー▲200の会社でも置かれた状況はまったく違う

	ケース1	ケース2	ケース3	ケース4
営業活動によるCF	600	300	100	▲200
投資活動によるCF	▲200	▲600	0	▲900
財務活動によるCF	▲600	100	▲300	900
当期CF	▲200	▲200	▲200	▲200

ものなんだ」くらいに理解しておいてください。

さて、3つのキャッシュフローの区分を理解したところで、もう一度図表2-7を振り返ってください。当期のキャッシュフローが▲200だったことしかわからない状況では、どのような要因によってキャッシュ残高が減ったのか理解することができません。

そこで、図表2-9を見てください。4つのケースにおいては、いずれも当期のキャッシュフローが▲200となっていますが、3つの区分ごとのキャッシュフローの状況はまったく違います。それぞれのケースにおいて、会社の置かれた状況がどのようなものであったのか考えてみてください。

アマゾン・ドットコムのキャッシュフロー

キャッシュフローの状況は、企業の成長ステージと密接に関連しています。

2-10. アマゾン・ドットコムのキャッシュフロー推移

▶導入期から成長初期のキャッシュフロー

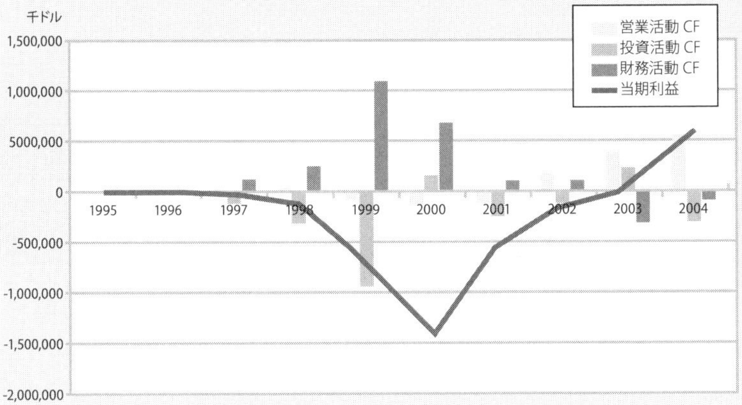

出所：Amazon.com annual report より

2-11. アマゾン・ドットコムの成長とキャッシュフロー

▶アマゾンは、まだまだ成長期

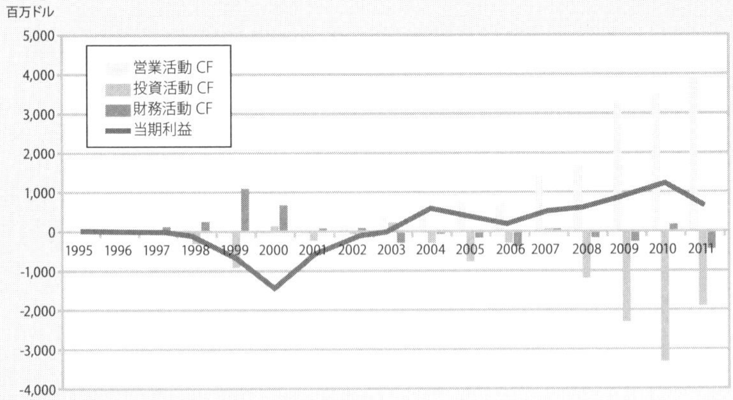

出所：Amazon.com annual report より

このことを確認するために米アマゾン・ドットコムの創業期からのキャッシュフローを見てみましょう（図表2-10）。

アマゾンは1994年に創業し、現在我々が日常的に利用しているサービスは1995年にスタートしました。1995年にサービスがスタートしてから2001年までの間、営業活動によるキャッシュフローがずっとマイナスでした（途中わずかなプラスがありましたが）。アマゾンは、1997年に米NASDAQ市場に上場を果たし、上場に伴い約5,000万ドルを調達しています。それ以降、将来のネットサービスの可能性に自信を深めたCEOのジェフ・ベゾスは、毎期大量の資金を調達して、積極的な設備投資を行なっています。その結果、1997年から2000年にかけて財務活動によるキャッシュフローが大きなプラスになっている一方、投資活動によるキャッシュフローは大きなマイナスになっています。

ウォール街やメディアは、上場後も巨額の最終赤字を出し続け、そのうえ、資金調達を繰り返してはドンドン設備投資にキャッシュをつぎ込むジェフ・ベゾスの経営手法に対して懐疑的な見方をしていました。その後のアマゾンの成長ぶりは図表2-11のとおりです。いまや同社は、営業活動で多額のキャッシュを生んでおり、その獲得したキャッシュを将来の成長のための投資に惜しげもなく使い続けることによってサービスを充実させています。

事業のライフサイクルとキャッシュフローの関係

アマゾンの例でわかるとおり、事業のライフサイクルとキャッシュフローとの間には密接な関係があります。図表2-12は、一般的に見られる事業のライフサイクルとキャッシュフローのパターンを示しています。

いわゆる**「導入期」**とされるステージでは、企業は積極的な投資を行なう必要があるため、大量の資金を調達します。一方、この期間、事業面では広告宣伝や販売促進などにコストをかけているため赤字を出し続けます。した

2-12. ライフサイクルとキャッシュフロー

▶典型的なキャッシュフローのパターン

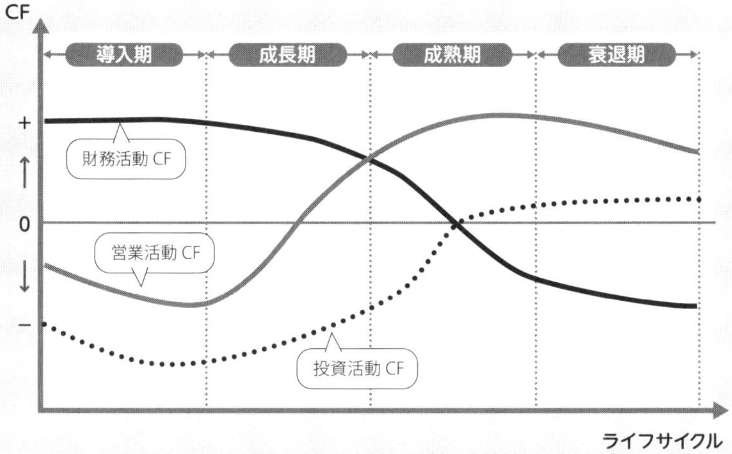

がって、営業活動によるキャッシュフローも大きなマイナス、投資活動によるキャッシュフローも大きなマイナス、財務活動によるキャッシュフローは大きなプラスとなるのが一般的なパターンです。

そして、**「成長期」**に入ると、営業活動によるキャッシュフローはマイナスからプラスに転換し、そのキャッシュフローが著しく増えていきます。通常、成長期では、企業はさらなる成長のために投資の手を緩めません。資金調達は新たに行なう場合もあれば、営業活動によって獲得したキャッシュフローでまかなう場合もありますので、財務活動 CF についてはケース・バイ・ケースといったところです。したがって、営業活動 CF はマイナスからプラスに転換し、投資活動 CF は大きなマイナスとなります。

「成熟期」になると、営業面では安定的にキャッシュを生むようになります。

投資活動も将来の成長のために積極的な投資を行なうというより、現状維持のための投資など、キャッシュアウトもやや控えめなものとなります。したがって、営業活動によるキャッシュフローは大きなプラス、投資活動によるキャッシュフローはマイナス幅が小さくなっていきます。

いよいよ**「衰退期」**まで進むと、営業活動によるキャッシュフローはプラスのキャッシュフローが徐々に小さくなり、有効な手を打たなければマイナスになってしまいます。衰退期にある事業に新たな投資を行なうことは少ない一方、リストラクチャリングの一環で設備を売却したりといったことがありますので、投資活動によるキャッシュフローは小幅なマイナス、または、プラスとなることがあります。

参考文献：『ざっくり分かるファイナンス』（石野雄一）　光文社新書

06

運転資金の大きさが会社の存続に大きく影響する

資金不足を補うキャッシュが運転資金

ファイナンスの世界では、**「運転資金（ワーキングキャピタル）」**という大切な概念があります。「先立つものがないと……（商売できない）」という言葉を聞くことがあると思いますが、まさにその「先立つもの」こそ運転資金です。

運転資金をもう少しきちんと理解するため、一般的な会社の事業サイクルを考えてみましょう。たとえば、製造業や卸売業のような会社では、最初に原材料や商品を仕入れるところから始まります。通常、原材料や商品の仕入代金は、仕入れた時点においてキャッシュで支払うことはなく、「月末締め翌月末払い」といった具合に、1か月分の仕入代金をまとめて後から支払います（いわゆる「掛払い」）。

一方、商品、原材料を仕入れて加工した製品は、顧客に販売した時点で売上代金をキャッシュで受け取ることはなく、1か月分の売上代金をまとめて後から受け取るといった具合に掛売りするのが普通です。製造業や卸売業の場合、売上代金を受け取るより先に仕入代金を支払うのが一般的なキャッシュフローのパターンです。つまり、キャッシュが入ってくるより先にキャッシュが外に出て行くわけです（図表2-13）。

商品を仕入れてから販売するまでの期間が30日、販売から売上代金の回収日までが30日、そして、商品を仕入れてから仕入代金の支払日までが45日という取引条件を持っている会社の場合、仕入代金の支払日と売上代金の入金日までの15日間は資金が不足することになります。そのため、キャッシュが出て行ってから入ってくるまでの15日間を乗り切るためのキャッシュが必要になるわけです。この必要なキャッシュのことを運転資金と呼んでいるわけです。

運転資金はマネジメントするもの

では、運転資金を用意しないと、この会社はどうなってしまうでしょうか？　言うまでもありませんが、仕入代金を支払うことができません。仕入代金を支払ってくれなければ、納入業者は取引をしてくれなくなるでしょうから、会社は事業を継続していくことができません。また、キャッシュが不足する15日の間には、従業員に対する給料や諸々の経費を支払う必要だってあります。このように、会社が事業を継続していくためには必ず運転資金が必要になるのです。

先ほど、「黒字倒産」について説明しました。いくら利益が計上されていたとしても、売掛金の回収を怠っていたり、在庫を大量に抱えていたりで投資した資産をキャッシュ化するタイミングが遅れると、買掛金の支払いに支障を来すことになります。運転資金が不足し、支払うべき仕入代金を用意できなかったら会社は倒産してしまいます。運転資金をマネジメントすることがいかに大切であるかが理解できるのではないでしょうか。

なお、卸売業や製造業のように恒常的に運転資金が必要な会社がある一方で、運転資金をそれほど必要としない業種もあります。食品スーパーやファーストフード店などの小売業の場合を考えてみましょう。

原材料や商品の仕入代金を掛払いするのは前述した卸売業や製造業と同様です。一方、仕入れた商品を販売したり、原材料を仕入れて加工した製品を顧客に販売したとき、売上代金は顧客がクレジットカードで支払う（掛売りする）ケースを除いて原則としてキャッシュで受け取ります。小売業の会社では、仕入代金を支払うより先に売上代金を受け取るのが一般的なキャッシュフローのパターンです。卸売業や製造業と違い、キャッシュが出て行くよ

2-13. 運転資金（ワーキングキャピタル）とは

▶事業サイクルとキャッシュフロー

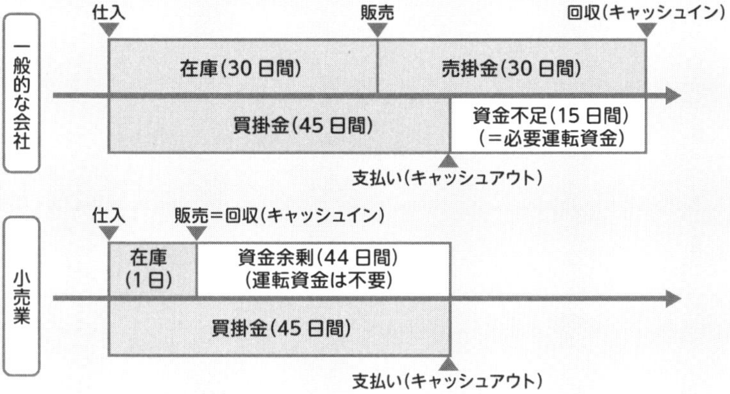

一般的な会社では、売上規模の拡大とともに必要運転資金は大きくなる（資金が不足する）

り先にキャッシュが入ってくるわけです（図表2-13）。

小売業のなかでも食品スーパーのような業態では、商品を仕入れてから販売するまでの期間は1日しかなく、しかも、売上代金の入金は基本的に販売したときです。皆さんも、スーパーでの買い物は現金でするという人が多いでしょう。

商品を仕入れてから仕入代金の支払日までが45日という取引条件になっている場合、売上代金が入金されてから仕入代金の支払日まで44日間はキャッシュに余剰（余裕）が生まれることになります。このように、小売業においては、原則として運転資金が不要なのです。

売上が増えると必要な運転資金も増える

運転資金が必要なのか、不要なのか、また、どのくらいの運転資金が必要なのか、といった点に関しては、業種や会社の取引条件によって変わってきます。運転資金が必要なキャッシュフローのパターンになっている会社の場合、売上規模を拡大していこうとすると、必然的に必要な運転資金の金額も大きくなっていきます。運転資金の手当てを銀行からの借入でまかなう場合は、借入金の金額も大きくなります。それに伴って支払金利も発生します。運転資金の多寡はキャッシュフローに大きな影響を与えることを理解しておきましょう。

経営者の中には、在庫を「罪子」と呼ぶ人がいます。それくらい、経営者は必要以上に在庫を持たないようにするべきなのですが、その理由は運転資金を圧縮するためです。

07

ブロック図を使えばキャッシュフローの計算もかんたん

PART 2の最後に、簡単なケースを用いて、キャッシュフローを実際に算出してみましょう。

減価償却費はキャッシュインフロー

図表2-14は、ある会社の3期にわたる利益、および、各期末における売掛金、商品および買掛金の残高を示しています。なお、各期の利益は毎期計上される減価償却費200が控除された後の金額となっています。

まず、X1期におけるキャッシュフローを計算してみます。利益は1,500ですから、まず、1,500のキャッシュが入ってくることはわかりますよね。ただし、1,500という利益は減価償却費200を差し引いた後の金額です。減価償却費はキャッシュアウトを伴わない費用ですから、実は1,500の利益がもたらすキャッシュインフローは減価償却費200を加えた1,700ということになります。

キャッシュフローで見た運転資金

次はX1期の運転資金について見ていきます。運転資金がキャッシュフローに影響を及ぼすことは前述したとおりです。X1期における売掛金、商品、買掛金の期首残高は、それぞれ1,500、1,000、1,000であり、期末残高は、それぞれ2,500、2,000、1,500となっています。

はじめに売掛金に着目してみましょう。期首の売掛金残高1,500はX1期

2-14. キャッシュフローの算出イメージ

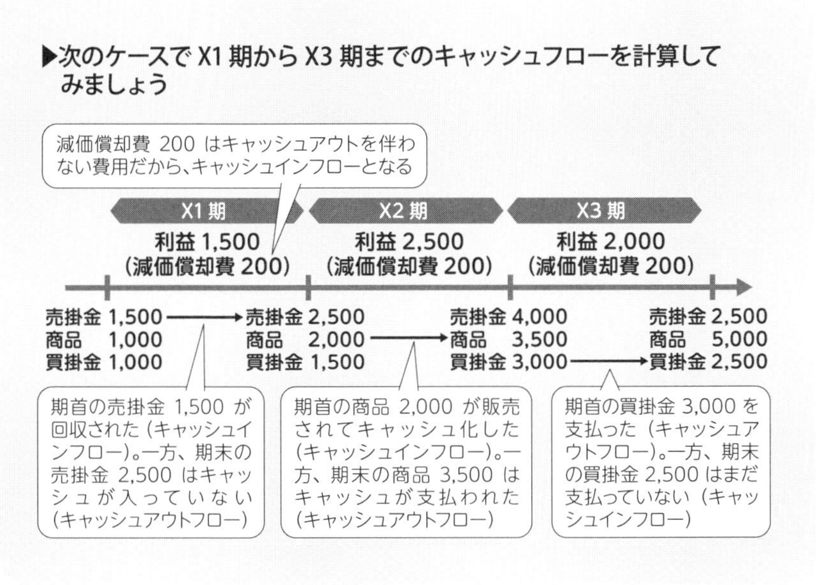
▶次のケースでX1期からX3期までのキャッシュフローを計算してみましょう
減価償却費 200 はキャッシュアウトを伴わない費用だから、キャッシュインフローとなる
X1期
利益 1,500
(減価償却費 200)
X2期
利益 2,500
(減価償却費 200)
X3期
利益 2,000
(減価償却費 200)
売掛金 1,500
商品 1,000
買掛金 1,000
売掛金 2,500
商品 2,000
買掛金 1,500
売掛金 4,000
商品 3,500
買掛金 3,000
売掛金 2,500
商品 5,000
買掛金 2,500
期首の売掛金 1,500 が回収された(キャッシュインフロー)。一方、期末の売掛金 2,500 はキャッシュが入っていない(キャッシュアウトフロー)
期首の商品 2,000 が販売されてキャッシュ化した(キャッシュインフロー)。一方、期末の商品 3,500 はキャッシュが支払われた(キャッシュアウトフロー)
期首の買掛金 3,000 を支払った(キャッシュアウトフロー)。一方、期末の買掛金 2,500 はまだ支払っていない(キャッシュインフロー)

の期中に回収されるためキャッシュが入ってきます(=キャッシュインフロー)。一方、期末の売掛金残高 2,500 は X1 期の売上に対応して計上されたものですが、実際には X1 期の期中にはキャッシュが入ってきていません(=キャッシュアウトフロー)。前述したとおり、X1 期のキャッシュフローを計算するうえでは、いったん、利益 1,500 のキャッシュインフローがあったと考えます。ところが、1,500 の利益を計算するもとになった売上高に対応している期末の売掛金残高 2,500 は X2 期にキャッシュで回収されるため、X1 期のキャッシュフローを計算するうえでは、この分だけキャッシュが拘束されたと考えるため、キャッシュアウトがあったものとみなします。

次に商品を見てみましょう。期首の商品残高 1,000 は X1 期の期中に販売されてキャッシュ化します(=キャッシュインフロー)。そして、期末の商品残高 2,000 は X1 期の期中に仕入れて在庫されているためキャッシュは入ってきていません(=キャッシュアウトフロー)。

買掛金については、期首の買掛金残高1,000がX1期の期中に支払われるためキャッシュが出て行く（＝キャッシュアウトフロー）一方、期末の買掛金残高1,500はX1期の期中にはキャッシュを支払わずに済んだもの（＝キャッシュインフロー）と考えます。

このように、運転資金を構成する売掛金、商品、買掛金については、期首残高と期末残高を比較すれば、ネットのキャッシュインフロー（キャッシュインフローからキャッシュアウトフローを差し引いて求めるキャッシュフローの総額のこと。プラスであれば「ネットキャッシュインフロー」、マイナスであれば「ネットキャッシュアウトフロー」といいます）、または、ネットのキャッシュアウトフローがわかります。売掛金残高が増えれば、それだけキャッシュが拘束される（「資金が寝る」といわれる状態）ことからネットキャッシュアウトフローとなり、売掛金残高が減れば、それだけキャッシュが回収されることからネットキャッシュインフローとなります。

商品についても同様に考え、商品残高が増えればネットキャッシュアウトフローとなり、商品残高が減ればネットキャッシュインフローとなります。それとは逆に、買掛金は残高が増えればキャッシュを払わずに済むことによって資金が浮くわけですからネットキャッシュインフローとなり、残高が減ればキャッシュを払ったことになるためネットキャッシュアウトフローであったことを意味します。

ブロック図の使い方

こうしたキャッシュフローの計算は図表2-15に示したブロック図を使って考えると簡単です。これは数直線上に各期のネットキャッシュインフローとネットキャッシュアウトフローをブロックで積み上げて計算するものです。

利益と減価償却費はネットキャッシュインフローですから、数直線の上側（プラス側）にブロックを積みます。売掛金、商品、買掛金の増減についても、ネットキャッシュインフローは数直線の上側（プラス側）に、また、ネ

2-15. キャッシュフローのブロック図

▶キャッシュフローはブロック図で考えるとわかりやすい

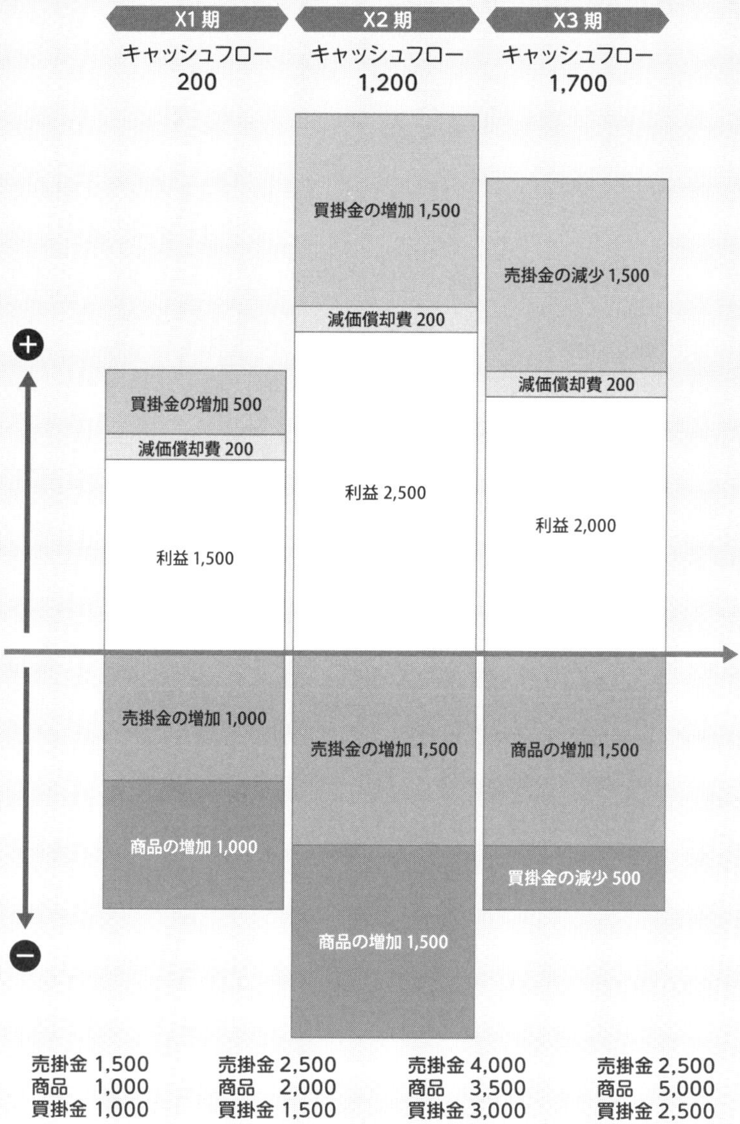

2-16. ブロック図からキャッシュフロー計算書へ

▶キャッシュフロー計算書

	X1 期	X2 期	X3 期
当期利益	1,500	2,500	2,000
減価償却費	200	200	200
売掛金の増減	▲1,000	▲1,500	1,500
商品の増減	▲1,000	▲1,500	▲1,500
買掛金の増減	500	1,500	▲500
キャッシュフロー	200	1,200	1,700

ットキャッシュアウトフローは数直線の下側（マイナス側）に、それぞれブロックを積んでいきます。

X1 期のネットキャッシュフローをブロック図で計算してみましょう。ネットキャッシュインフローに積み上げられているブロックが利益 1,500、減価償却費 200、買掛金の増加 500 ですから合計すると 2,200 となります。一方、ネットキャッシュアウトフローに積み上げられているブロックは売掛金の増加 1,000 と商品の増加 1,000 ですから合計すると 2,000 となります。この結果、ネットキャッシュインフローの合計 2,200 からネットキャッシュアウトフローの合計 2,000 を差し引いた 200 のネットキャッシュインフローが X1 期に生み出された、ということがわかります。

ここで作成したブロック図を C/F にすると、図表 2-16 のとおりになります。ブロック図で考えると実際の商売の動きがイメージできるので、C/F が無味乾燥な数字の羅列ではなくなりますよね。

会計を
生かした
ファイナンス戦略

Accounting
&
Corporate Finance

01 P/Lもシンプルなボックス図で考える

PART 1で「会計」と「ファイナンス」の関係を学んだとおり、会計情報である財務3表を分析すれば会社の財務に関する状態や経営課題を読み取ることができます。さらに、その分析結果を受けてファイナンス戦略を立案・実行することができるようになります。ここでは、財務3表のうち、P/Lを使ってファイナンス戦略を検討する方法をご紹介しましょう。

P/Lはそのまま見ても何もわからない

皆さんは、一般的な上場企業が公表しているP/Lを見て、何かピンとくるでしょうか。図表3-1のP/Lを見て、会社の状態や課題を読み取ることはできますか？

ファイナンス戦略を検討するうえで、会社の財務内容を分析するために、詳細な勘定科目まで表示されている公表用のP/Lをいきなり見ても「いまいちピンとこない」というのが本音ではないでしょうか。販売費及び一般管理費の中身を見ていくと、「広告宣伝費」「販売促進費」「給料及び手当」など勘定科目が多岐にわたって表示されていますが、数字の羅列にしか感じられないと思います。ファイナンス戦略を立案するために現状を理解するにあたっては、まず全体像をざっくり把握したいと考えるのが普通でしょう。

図表3-1のP/Lについて、その全体像を把握するために図表3-2のようなボックス図に置き換えてから見るといかがでしょう？

これは株式会社西研究所の西順一郎氏が提唱している「STRAC会計」で用いられているボックス図ですが、パッと見ただけで会社の収支構造が理解

3-1. ある上場企業の損益計算書(P/L)

(単位:百万円)
(自 平成XX年4月1日　至 平成XX年3月31日)

売上高		85,090
売上原価		
	商品期首たな卸高	15,921
	当期商品仕入高	39,809
	合計	55,730
	商品他勘定振替高	471
	商品期末たな卸高	14,895
	売上原価合計	40,364
売上総利益		44,726
販売費及び一般管理費		
	荷造運搬費	1,677
	広告宣伝費	1,577
	販売促進費	245
	役員報酬	222
	給料及び手当	8,959
	賞与	983
	賞与引当金繰入額	1,188
	役員賞与引当金繰入額	60
	退職給付費用	250
	福利厚生費	1,488
	旅費及び交通費	345
	業務委託費	2,798
	賃借料	10,658
	消耗品費	720
	修繕維持費	1,057
	減価償却費	1,204
	支払手数料	1,540
	貸倒引当金繰入額	1
	雑費	2,618
	販売費及び一般管理費合計	37,599
営業利益		7,126
営業外収益		
	受取利息	9
	受取配当	4
	受取賃貸料	15
	為替差益	24
	仕入割引	36
	関係会社業務受託料	62
	雑収入	85
	営業外収益合計	238
営業外費用		
	支払利息	146
	賃貸費用	11
	支払手数料	118
	雑損失	27
	営業外費用合計	304
経常利益		7,061
特別利益		
	固定資産売却益	3
	移転補償金	19
	特別利益合計	23
特別損失		
	固定資産除却損	62
	減損損失	388
	資産除去債務会計基準の適用に伴う影響額	870
	その他	27
	特別損失合計	1,348
税引前当期純利益		5,735
法人税、住民税及び事業税		1,682
法人税等調整額		1,132
法人税等合計		2,815
当期純利益		2,919

3-2. P/Lをこのようなボックス図にしたらどうでしょう？

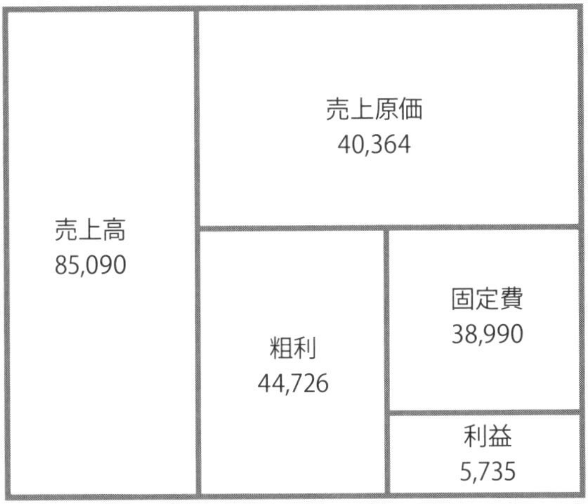

できます。たったこれだけのシンプルなボックス図ですが、会社の課題を分析するうえでもファイナンス戦略を検討するうえでも大変重宝する優れモノです。

全体像をボックス図で俯瞰する

一見ごちゃごちゃしたP/Lの内容をパッと見て理解できるように**「売上高」「売上原価」「粗利」「固定費」「（税引前）利益」**という5つの部屋に分かれている、このボックス図をもう少し詳しく見ていきましょう。

まず、売上高から売上原価を差し引くと粗利が計算されますよね。ビジュアル化すると図表3-3のようになります。そして、粗利から固定費を差し引くと最終的な利益が残ることになります（図表3-4）。なお、固定費は、販売費及び一般管理費に営業外損益や特別損益も加減算しています。図表3-5

3-3. P/L をボックス図に置き換える（1）

▶売上高から売上原価を差し引くと粗利が計算される

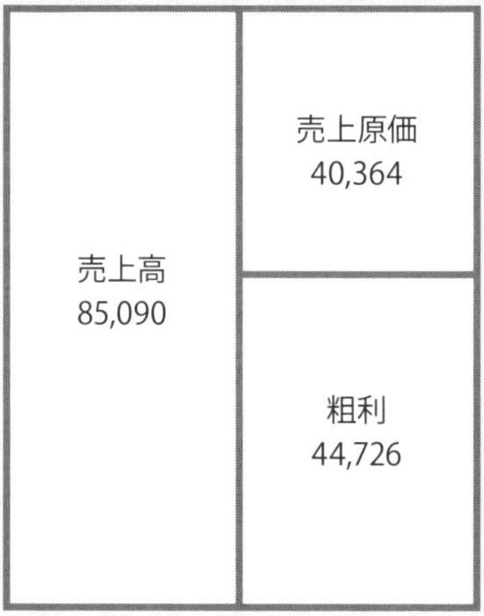

3-4. P/L をボックス図に置き換える（2）

▶粗利から固定費を差し引くと利益が計算される

3-5. P/L をボックス図に置き換える（3）

▶売上高から利益が計算されるプロセス

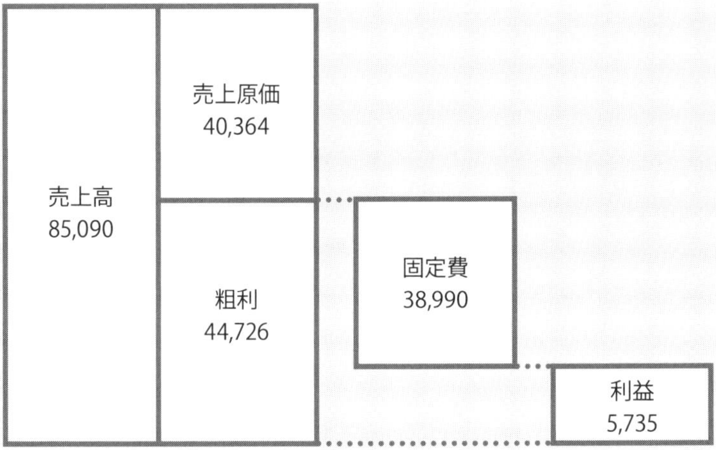

3-6. P/L をボックス図に置き換える（4）

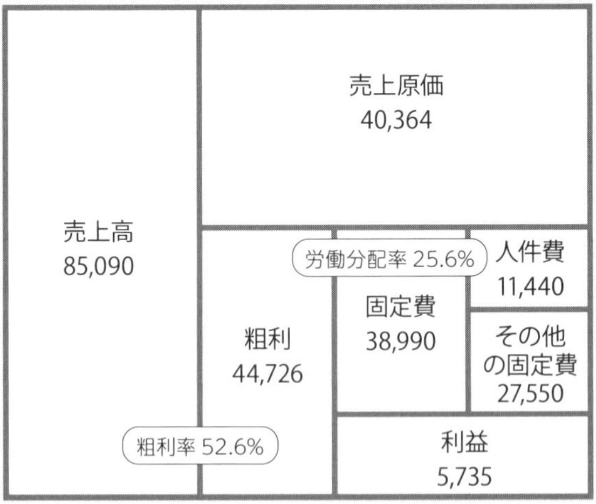

は、売上高から売上原価と固定費を除いて利益が計算される一連のプロセスを示していますが、これを一緒にまとめると最初のボックス図ができあがります（図表3-6）。

ところで、キャッシュを増やすためには利益を大きくする必要があることは直感的に理解できますよね。であれば、ファイナンス戦略では、利益をいかに増やすべきかを考えればよいということになります。

もう一度、図表3-2のボックス図を見てください。最終的な利益は、粗利と固定費の大小関係で決まっていることがわかります。そのため、利益を増やすためには、「粗利を大きくする」または「固定費を小さくする」の2つしかありません。そして、粗利を大きくするためには、「売上高を大きくする」または「原価を小さくする」の2つに分かれます。さらに、売上高を大きくするためには、「販売単価（売値）を上げる」または「販売数量を増やす」の2つに分解されることになります。

なお、図表3-6では、固定費を人件費とそれ以外の固定費に分けています。これは、一般的に固定費の中で人件費がもっとも大きいため、他の固定費と分けて把握しておきたいからです。また、ファイナンス戦略を立案するときに重要な指標となる「粗利率」と「労働分配率」（粗利のうち人件費に占める割合）を明示しています。

ファイナンス戦略を練り上げる際、このボックス図を利用すれば、会社の収支構造をあるべき姿に変身させるためにはどのような戦略をとらなければならないのか、ビジュアルでイメージすることができるのです。同業他社と収益性を比較する際も、非常にわかりやすくなるはずです。

参考文献：『利益が見える戦略MQ会計』（西順一郎、宇野寛、米津晋次） かんき出版

02 利益を決める 4つのドライバー

ボックス図でシンプルに考えると理解できると思いますが、利益の額を決定するドライバーは4つしかありません。①**単価（売値）**、②**販売数量**、③**原価（材料費）**、④**固定費**の4つの要素です。利益を増やすことができれば、より多くのキャッシュを生むことになるため、企業価値は向上します（図表3-7）。

4つのドライバーの変動が最終的な利益の額にどのようなインパクトを与えるか、事例を使って確認してみましょう。

3-7. 儲けるための4つのドライバー

▶4つのドライバーをどのようにするかで利益（キャッシュ）は決まる

単価（売値）

販売数量

原価

固定費

百貨店業界のリストラ策を考える

売上の落ち込みが激しい百貨店業界のリストラ策を取り上げてみます。ある百貨店は現在、損益が収支トントンの状態です。この百貨店で50,000の利益を出すためには、どんな手を打ったらよいでしょうか。4つのドライバーが利益に与えるインパクトについて、シンプルなボックス図を用いて検討してみます（図表3-8）。

①単価アップ策

単価アップ策だけで最終的な利益を50,000残すためには、100の単価を105にする必要があります（単価を5%アップする）。

②販売数量アップ策

販売数量を増やすことで利益を50,000出すためには、10,000個の販売数量を12,000個に増やす必要があります（販売数量を20%もアップさせる）。

③原価削減策

原価の削減だけで利益を50,000出すためには、750,000の原価を700,000に削減する必要があります（原価を6.7%削減する）。

④固定費削減策

固定費の削減だけで利益を50,000出すためには、250,000の固定費を200,000に削減する必要があります（固定費を20%も削減する）。

百貨店業界に限らず、業績不振に陥った多くの会社が事業を再建させるために最初に手をつけるのが固定費の削減です。コピー用紙に裏紙を使用したり、2本取り付ける蛍光灯を1本だけにしたり、とても涙ぐましい努力を続けています。

3-8. 百貨店業界のリストラ策を考える

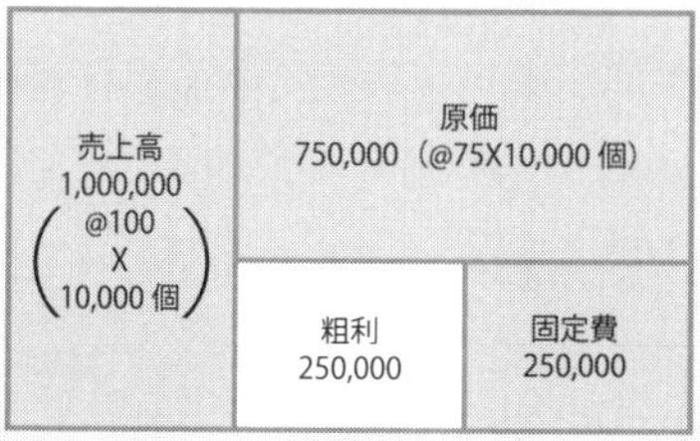

売上の落ち込みが激しい百貨店業界のリストラ策について考えてみましょう。
ある百貨店は、左の P/L のとおり、収支トントンの利益ゼロになっています。
この百貨店で 50,000 の利益を出すようにするためには、どんな手を打ったらよいでしょうか。

①単価アップ策

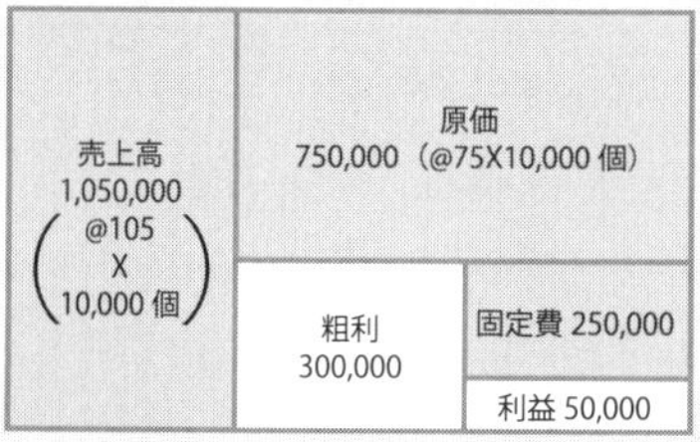

単価を 100→105 に **5% アップ**すればよい

②販売数量アップ策

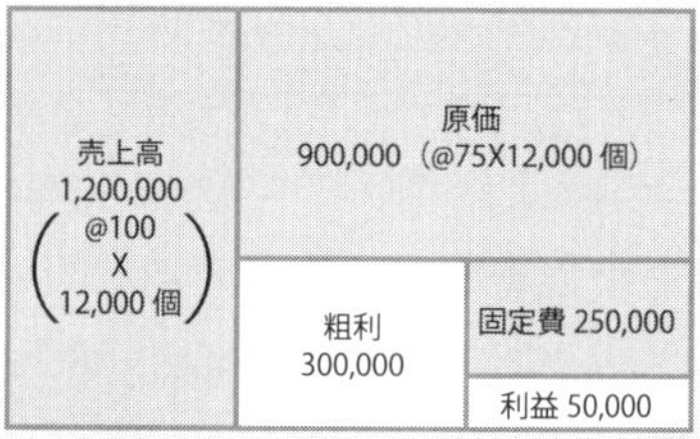

販売数量を 10,000→12,000 に **20% もアップ**しなければならない

③原価削減策

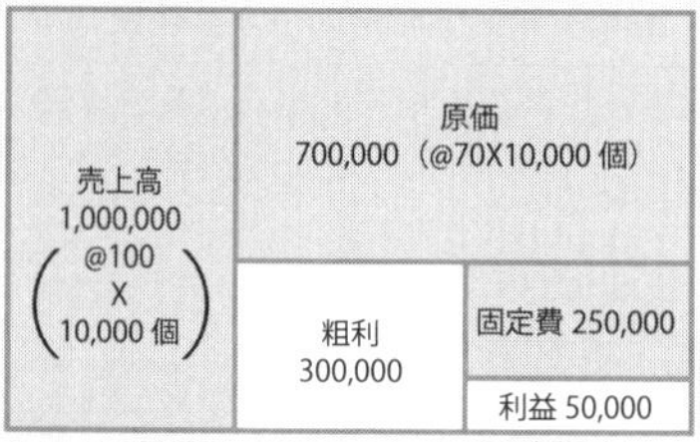

原価を 750,000→700,000 に **6.7% 削減**すればよい

④固定費削減策

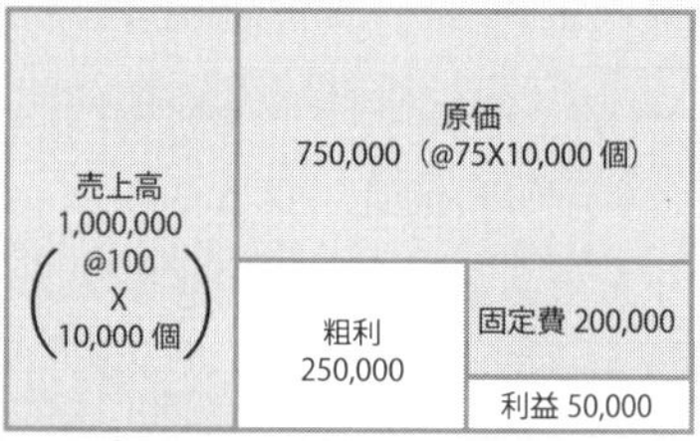

固定費を 250,000→200,000 に **20% も削減**しなければならない

固定費削減だけで結果を出すのは困難

もちろん、業績不振に陥った会社は多くの無駄を抱えていたからそうなったのであり、固定費に含まれるひとつひとつの項目をゼロベースで見直し1円単位でコストを削減することは絶対に必要です。ただ、上記のケースからわかるように、固定費の削減策だけで赤字体質の収支構造を劇的に改善させることは至難の業といえます。皆さんの職場である日突然、20%費用を削減しろと言われると、相当に困ると思います。また、やみくもに固定費を削減し続けると従業員のモチベーションを下げてしまうといったデメリットもあります。

一方、利益に対するインパクトが最も大きい打ち手は単価アップであることがわかります。だから企業は1円でも高い価格をつける努力をすべきなのです。価格に見合うだけの付加価値を商品やサービスに加える、むやみな値引きやセールをやめる、クロスセル（抱き合わせ販売）やアップセル（単価の高い商品の販売）を促進するなどの打ち手を考えなければなりません。

原価削減も利益に対するインパクトは大きいため、業績不振の会社が打つべき手としてはきわめて有効です。単価アップは顧客次第、マーケット次第という面もあるため難易度は高い反面、原価削減は仕入業者と粘り強く交渉して実現を図ります。

外資系金融業界がすぐにクビを切るワケ

今度は著者2人がかつて働いていた外資系金融（投資銀行）業界について、金融不況下のリストラ策を考えてみましょう（図表3-9）。我々が勤務していた投資銀行業界が扱うのは金融サービスや金融商品ですから、原価は存在せず、コストのほとんどが人件費（固定費）です。200,000の赤字状態の投資銀行を収支トントンにするためには、どんな手を打てばよいでしょうか？

原価はありませんから、打ち手としては①単価アップ策、②案件数アップ策、③固定費削減策の3つということになります。再びシンプルなボックス図で検討します。

3-9. 外資系金融業界のリストラ策を考える

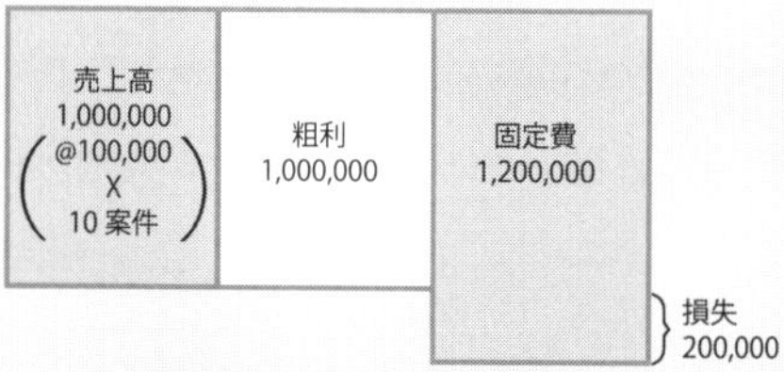

外資系投資銀行について、金融不況下のリストラ策を考えてみます。
投資銀行に原価は存在せず、コストのほとんどが人件費です。
この投資銀行を収支トントンにするためには、どんな手を打ったらよいでしょうか。

①単価アップ策

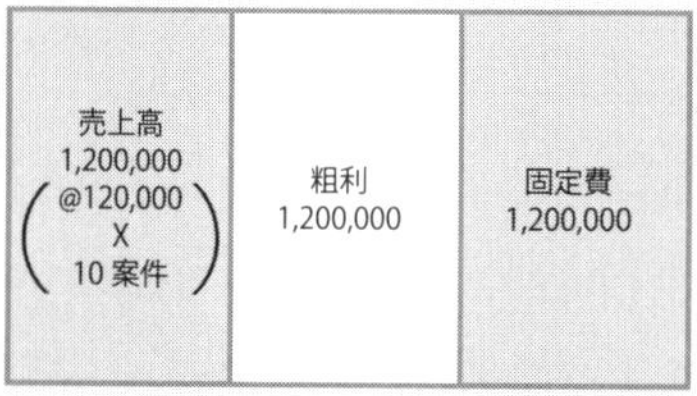

単価を 100,000→120,000 に **20% もアップ**しなければならない

②案件数アップ策

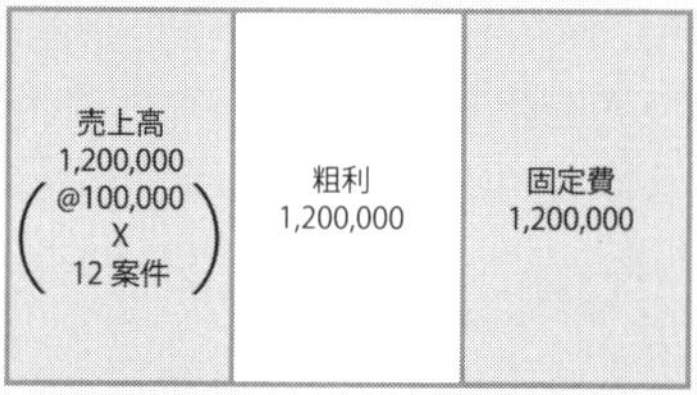

案件を 10→12 に **20% もアップ**しなければならない

③固定費削減策

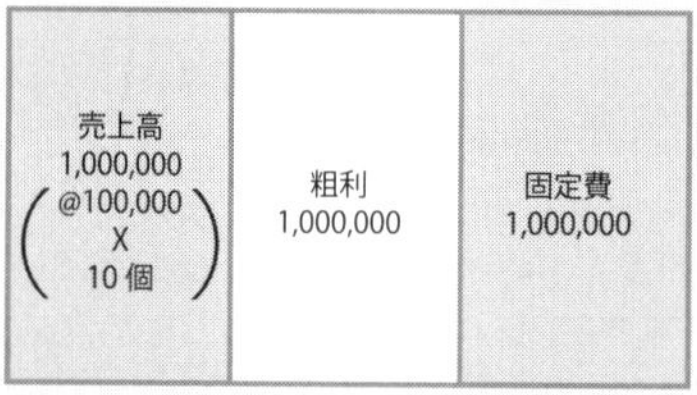

固定費（人件費）を 1,200,000→1,000,000 に **16.7% 削減**すればよい

簡単だから手っ取り早くクビを切る
（固定費を削減する）

①単価アップ策

単価アップ策だけで最終損益をゼロにするためには、100,000の単価を120,000にする必要があります（単価を20%もアップする）。

②案件数アップ策

案件数を増やすことで最終損益をゼロにするためには、10件の案件数を12件に増やす必要があります（案件数を20%もアップもさせる）。

③固定費削減策

固定費の削減だけで最終損益をゼロにするためには、1,200,000の固定費を1,000,000に削減する必要があります（固定費を16.7%削減する）。

このように、投資銀行では固定費削減がもっともインパクトが強いことがわかります。外資系金融業界で行なう固定費削減とはズバリ「クビ切り」です。ある朝出社したらいきなり上司からクビを宣告されたなんてドライなクビ切りが日常茶飯事ですが、それは社員のクビを切ることがもっとも簡単で利益に対するインパクトが大きいからなのです。

おわかりのように、先ほどの百貨店との違いが生じる理由は、「原価の有無」です。

先に見た百貨店の他にも多くの企業（たとえば製造業）では、費用における原価のウェイトが高いため、これを削減すると利益へのインパクトは大きくなります。逆に原価の削減なしに人件費などの固定費のみを削減しても効果は大きくないわけです。一方、投資銀行では、原価がない分、固定費（人件費）の削減のインパクトが大きいのです。

モノづくり企業のほうが人を大切にする、あるいはクビ切りをしないような印象がありますが、それは経営者がこのようなコスト構造を理解しているということもあるでしょう。

03

安易な値下げは自分のクビを締めることになる

値下げで利益を出すには

中小オーナー企業やベンチャー企業の中には、売上高を増やそうと、値下げをすれば売れるとばかりに単価（売値）を下げて販売数量を増やそうとしている会社が少なくありません。ここでは値下げをして利益を残すことがいかに難しいかを説明しましょう。図表3-10をご覧ください。

3-10. 10%の値下げをカバーするにはどれくらい売上アップが必要か

いま、1個当たりの販売単価1,000円、仕入値700円、粗利300円（粗利率30%）という商品を100,000個販売している会社があったとします。

このときの粗利総額は……

300円×100,000個＝30,000,000円

となります。

この会社が、もし10%値下げをして同じ粗利総額30,000,000円を稼ごうと思ったら、どれだけ販売数量を増やさなければならないかを考えてみましょう。

10%値下げすると、

単価は900円

になるため、1個当たりの粗利は

900円－700円＝200円

になります。

したがって、

30,000,000円÷200円＝150,000個

販売しなければなりません。

つまり、100,000個→150,000個と**50%も増やさないといけない**わけです。

いかがですか？　安易な気持ちで実施した「たったの１割引」のはずが、実は50％も多く売らないとつじつまが合わなくなってしまいます。営業を経験したことのある人だったら、50％も多く売らないといけないというハードルがどれだけ高いかを理解できるでしょう。

値下げとは自社の商品やサービスに価値を感じた目の前の顧客に対して、価格を下げるという形で購入を促す販売促進策です。したがって、値下げを行なう前に顧客に価値を感じてもらうことが前提となります。価値を感じていない顧客に対していくら値下げを提示しても売れることはありません。安易な値下げは結局自分たちを苦しめることになるのです。

それでも世の中で値下げが行なわれるワケ

「でも、世の中では多くの値下げが行なわれているではないか」という反論が聞こえてきそうですが、ある商品を値下げすることで客を呼び込み、他の商品を買わせる（いわゆる「抱き合わせ販売」）ことでつじつまを合わせている企業が多いのです。

この場合は、単なる値下げではなく、宣伝広告の代替を果たしていることになります。

04

「使える会計」で経営不振企業を優良企業へ

無秩序な値決めが引き起こす問題

以上のように、ボックス図で戦略を考えると、利益を増やすためには粗利を増やすことが大切であると理解できます。そこで、中小オーナー企業の多くが陥っているファイナンス戦略上の問題を解消し、短期間で粗利を増やしてキャッシュフローを改善するための施策を紹介しましょう。ここでは、あるアパレル卸売業のA社のケースを取り上げます（図表3-11）。

3-11. A社の概要＆経営課題

会社の事業内容	**アパレル卸売業A社** 生産は国内外の協力工場に発注し、国内の小売店にオリジナル商品を卸しているほか、OEM商品（相手先ブランドによる生産）も販売している。
現在の経営課題	大手小売店の下請け的なポジションにあるため、売上代金の回収に時間がかかる一方、海外の協力工場に対する支払いは前払いが多くなっており、恒常的に運転資金に余裕がなかった。 業績は、売上高の拡大が続いているものの借入金も同時に増える傾向が数年続いていたため、キャッシュフローの改善が急務となっていた。

キャッシュフロー改善のためにインパクトのある施策、短期間で効果の出る打開策が求められていた

3-12. A社の売上データからCF改善策を考える

▶ここでは、直近の一定期間における売上・売上原価情報だけを活用して、キャッシュフロー改善のための施策を考える

（単位：円）

得意先コード	得意先名	担当者名	売上高	原価金額	粗利益	粗利率（%）
323	○○○	△△△△	24,237,338	18,485,686	5,751,652	23.7
59	○○○	△△△△	18,420,160	14,145,899	4,274,261	23.2
578	○○○	△△△△	17,869,000	12,938,704	4,930,296	27.6
24	○○○	△△△△	15,023,704	10,461,252	4,562,452	30.4
264	○○○	△△△△	13,828,345	10,526,306	3,302,039	23.9
323	○○○	△△△△	12,799,632	10,106,013	2,693,619	21.0
107	○○○	△△△△	12,377,372	9,984,000	2,393,372	19.3
69	○○○	△△△△	11,855,315	7,941,004	3,914,311	33.0
627	○○○	△△△△	11,734,932	7,470,807	4,264,125	36.3
203	○○○	△△△△	10,856,750	6,029,180	4,827,570	44.5
671	○○○	△△△△	10,441,480	8,183,121	2,258,359	21.6
371	○○○	△△△△	9,916,425	5,880,470	4,035,955	40.7
632	○○○	△△△△	9,305,801	5,880,464	3,425,337	36.8
680	○○○	△△△△	9,012,598	6,985,665	2,026,933	22.5
100	○○○	△△△△	8,795,578	6,370,655	2,424,923	27.6
558	○○○	△△△△	8,521,009	6,531,819	1,989,190	23.3
115	○○○	△△△△	8,443,443	4,637,175	3,806,268	45.1
41	○○○	△△△△	8,374,370	5,900,555	2,473,815	29.5
340	○○○	△△△△	7,408,950	5,724,051	1,684,899	22.7
473	○○○	△△△△	7,277,303	4,547,001	2,730,302	37.5
904	○○○	△△△△	6,888,621	5,499,604	1,389,017	20.2
633	○○○	△△△△	6,466,568	4,669,112	1,797,456	27.8
549	○○○	△△△△	5,909,589	4,422,122	1,487,467	25.2

インパクトのあるキャッシュフロー改善策を検討するための分析をしてみましょう

3-13. A社の累計売上高

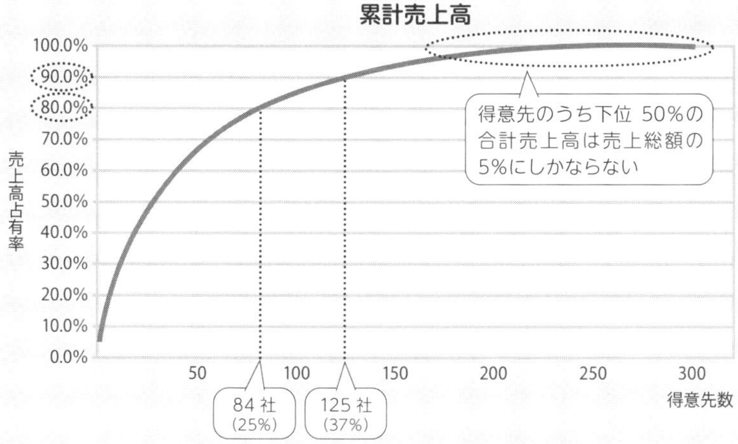

25% の得意先で売上総額の 80%、37% の得意先で売上総額の 90% を占めている。
また、得意先の下位 50% の合計売上高は売上総額の 5% にしかならない

【売上・原価・粗利に関するデータを分析する】

短期間で利益を出し、キャッシュフローの改善を図るためには、粗利を改善することが最も近道といえます。A社の売上データを入手し、直近の一定期間における売上と売上原価に関する情報だけを活用して、キャッシュフロー改善のための施策を導き出します（図表3-12）。売上データは、得意先ごとの売上高総額、原価総額、粗利総額、粗利率が明らかになっていることが重要です。営業担当者も明らかにしておくと、担当者ごとの傾向や課題が浮き彫りになるのでさらに有効です。

まず、A社の売上構成を確認します（図表3-13）。一般的に、会社の売上は「上位20%の得意先で売上全体の80%を占める」というパレートの法則が成り立ちます。ただし、中小オーナー企業の場合、1社の得意先だけで売上全体の90%を占めるなど、パレートの法則を遥かに上回る割合で特定の得意先に売上の多くを依存していることが少なくありません。A社では、300社あまりある全得意先の4分の1で売上総額の80%、37%の得意先で売上総額の90%を占めるという状態です。したがって、中小オーナー企業としては、売上が分散しており、比較的健全な状態であるといえます。一方、下位50%の得意先の売上高合計は、A社の売上総額の5%に満たない状態です。

値決めの実態を浮き彫りにする

さて、A社の得意先ごとの売上高と粗利額の関係を確認するためにデータを座標軸にプロットしてみると、図表3-14のとおりとなります。このグラフを見ると、売上高と粗利額の関係は概ねキレイに比例しているように見えます。

ところが、得意先ごとの売上高と粗利率を座標軸にプロットしてみると興味深いことが判明します（図表3-15）。本来は、売上高が増えようが、粗利率は変わらないはずなので、得意先の点は横軸に平行な（縦軸に垂直な）水

3-14. A 社の売上高と粗利の関係

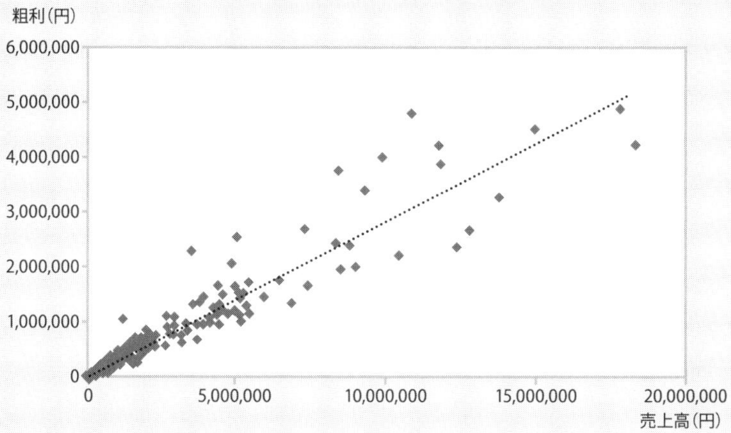

売上高と粗利の関係は概ね比例しているように見えるものの…

平線を描くようにプロットされるはずです。または、売上高の大きな大口得意先に対しては割引するなど、取引上有利な条件を特典として与えるため、緩やかな右肩下がりの直線上にプロットされることもあるでしょう。

図表 3-15 を見てわかるとおり、A 社は 1,000 万円を売り上げている得意先に 45％の粗利率を確保している反面、粗利率 40％を下回る売上高 500 万円以下の得意先をたくさん抱えています。つまり、売上高の小さな得意先に対しても不用意に値下げして販売するなど、粗利率の設定がマチマチで一貫性がありません。売上データの分析を通じて、A 社では、長年にわたって、取引規模と収益性の間には何の関係もなく、営業部が無秩序に値決めしていたことが明らかとなったのです。

【粗利率向上・キャッシュフロー改善の方策】

以上の分析結果を受けて、A 社は、粗利率向上、およびキャッシュフロ

3-15. A社の売上高と粗利率の関係

▶得意先ごとの売上高と粗利率をプロットしてみると…

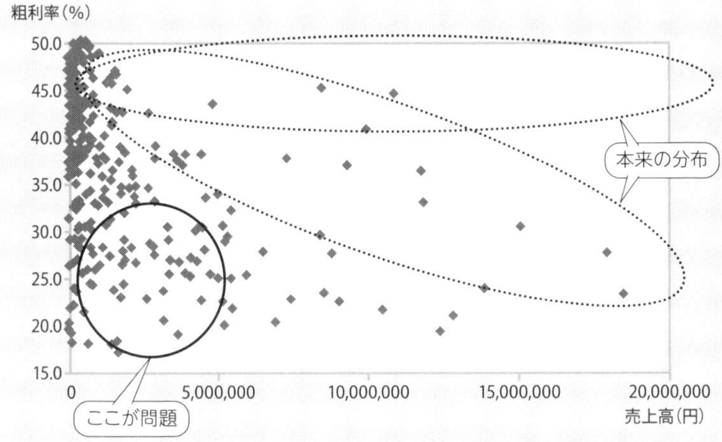

取引規模と収益性の間には何の関係性もなく、無秩序に値決めされていることが明らかに

ー改善のための方策を検討し、早速実行に移しました。

卸価格に関する取引条件が無秩序に設定されていた背景には、社内に価格設定に関するポリシーがなく、各営業マンが得意先に言われるがままの条件で卸していたという事情がありました。特に、図表3-13でわかるとおり、売上総額の5%しか占めていない半数の得意先に対しては、オリジナル商品よりも手間とコストのかかるOEM受注が多いにもかかわらず、適正な粗利を確保するための価格設定が行なわれていないことが明らかになりました。

また、手間とコストのかかるOEMの受注件数が多かったA社では、売上総額の5%しか占めていない半数の得意先に対応するために社員の相当な時間が奪われていました。そのため、大口得意先のニーズに対して十分応えられていないという問題も抱えていたのです。

そこでまず、A社は、OEMの受注金額の下限やロットごとの最低価格を設定し、単価のアップを図りました。その結果、取引条件の変更（卸価格の

3-16. A社の粗利率向上・キャッシュフロー改善の方策

▶以上の分析結果から、キャッシュフロー改善策を考えると…

分析結果	具体的な打ち手	効果
売上総額の5%しか占めない半数の得意先からのOEM受注が多く、手間とコストがかかっている。	OEMの受注金額の下限やロットごとの最低価格を設定する(単価アップ)。	離れていった得意先があったものの平均粗利率が改善したほか、人件費(残業代)の削減も図れた。
大口得意先のニーズに対して十分応えられていない。	上記の打開策の結果、余裕の生まれたリソースを大口先に振り向けきめ細かく対応する。	商品提案力の向上により取引が増えるなどの効果もあり、大口得意先に対する粗利率が改善。

売上高は横ばいであるものの、粗利率の改善により利益が増加(キャッシュフローが改善)

アップ)を拒否して離れていった得意先があったものの、A社全体の粗利率が改善したのです。また、粗利率が低いうえに手間のかかるOEMの件数を減らしたことに伴い、人件費(残業代)の削減という副次的な効果も生まれました。

そして、このような打ち手によって余裕の生まれたリソースを大口得意先に振り向け、きめ細かく対応することができるようになったのです。大口得意先に対する商品提案力の向上により取引が増え、粗利率が改善するなどの効果まで得られました。

その結果、A社は、売上高は横ばいであるものの粗利率の向上により利益が増加し、キャッシュフローが著しく改善したのです(図表3-16)。

3-17. カッシーナ・イクスシーの事例

▶直近の売上高は横ばいだが…

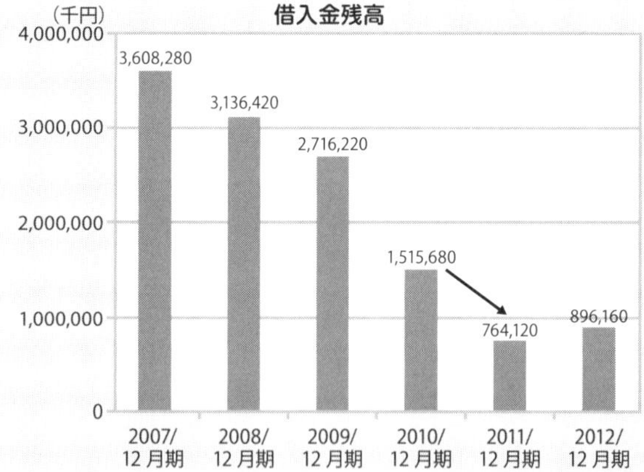

出所：カッシーナ・イクスシー有価証券報告書より
2011年12月期以後は単体、それ以外は連結の数値（2011年12月期からは連結財務諸表を作成していない）

万年赤字体質から黒字に一転
さらに、借入金残高はわずか1年で半減

取引条件を見直し、たった１年で黒字転換したカッシーナ・イクスシー

A社と同じ手法によって、万年赤字体質だったものをたった1年で黒字転換した上場企業があります。家具・生活雑貨の輸入、企画、製造販売をしているカッシーナ・イクスシーです。

同社は、2007年12月期に10,306百万円という過去最高の売上高を記録しましたが、それ以降は極度の経営不振に陥り、2010年12月期には売上高が5,377百万円まで落ち込みました。たった3年で売上高が半減したのです。その間、3期連続で経常赤字を記録しています（図表3-17）。

ところが、2011年2月に社長が交代してからカッシーナ・イクスシーの財務内容は急速に改善していきます。同社の粗利率の推移を見てください（図表3-18）。同社は、2011年12月期において、経営改革の一環として得意先に対する取引条件を見直したことに伴い、粗利率が2010年12月期の

3-18. カッシーナ・イクスシーの業務改革

▶粗利率の推移

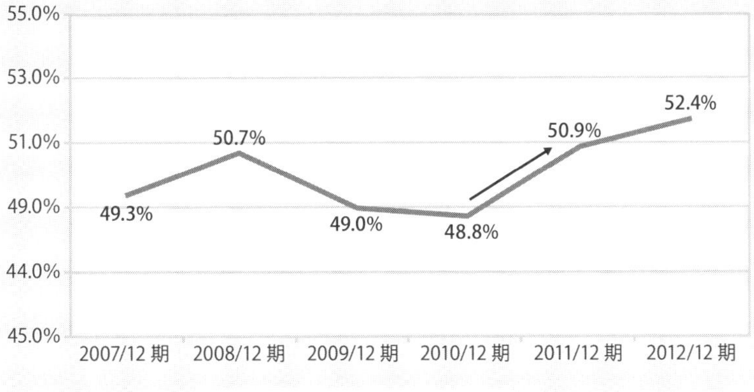

1年で2.1ポイント改善

48.8%から50.9%に2.1ポイントも上昇し、2012年12月期にはさらに52.4%まで改善し、最高の収益性を実現しています。2011年12月期からの同社は、いわゆる人員整理などのリストラは一切行なっておらず、経常損益の黒字転換はひとえに粗利率の改善によってもたらされています。

その結果、2011年12月期は売上高が前年比ほぼ横ばいであるものの、経常損益は4年ぶりに黒字に転換しました。そして、借入金の残高も半減しています（図表3-17）。

図表3-19上図は、カッシーナ・イクスシーの株価の推移です。同社の低迷していた株価は、社長の交代以降、上昇に転じています。また、同社の株価とTOPIXについて、2011年1月第1週の終値を1とした場合のその後の推移を示した図表3-19下図を見ると、TOPIXと比較しても大幅にアウトパフォームしており、株式市場も同社の業績回復を評価していることがわかります（TOPIXは、東京証券取引所第1部市場の上場企業全体の株価を表す指数です。）。

このように、粗利益率の改善は利益と株価の向上に大きなインパクトをもたらします。

3-19. カッシーナ・イクスシーの株価

▶株式市場もカッシーナの業績回復を支持

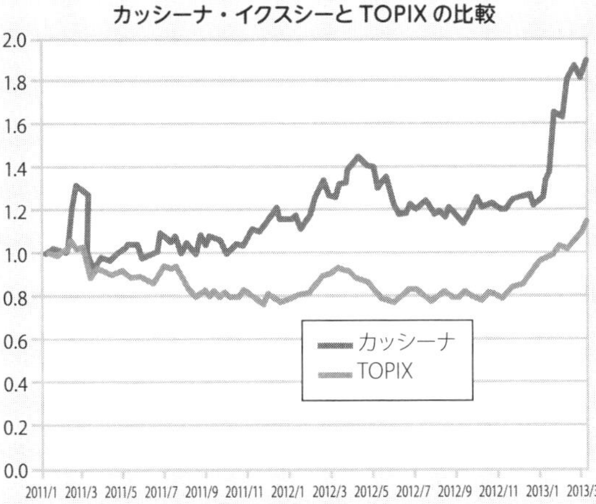

出所：Yahoo！ファイナンスより
2011年1月1日から2012年5月28日の週次終値に基づく

カッシーナはTOPIXをアウトパフォーム

05

売上至上主義の怖さと運転資金マネジメントの重要性

ある経営不振企業の財務を考察する

【中小企業に見られる特有の財務状況】

キャッシュをためるには利益を上げるほか、在庫の滞留日数を減らしたり、売掛金の早期回収などで運転資金の回転を早くしキャッシュ化のスピードを上げる必要があります（46頁の図表2-13での資金不足日数を15日から短縮するということです）。

中小オーナー企業によく見られる財務の特徴のひとつに「売上高が増えたのはいいけれど、同時に借入金も増えてしまう」という点が挙げられます。これは事業に必要な運転資金を借入金で調達しつづけることにより起きている問題です。

この特有の問題について、中小オーナー企業の経営の特徴を理解することによって、運転資金をどうマネジメントすべきかを考えてみます。図表3-20から3-23までを見てください。

図表3-20は、ある経営不振企業（仮に「B社」とします）の売上高と借入金残高の推移を示しています。売上高はここ4期間で順調に伸びている一方、借入金残高も増えています。直近期では、売上高が821百万円しかないのに、借入金残高は1,151百万円にのぼっています。借入金残高が売上高より大きいなどということは、明らかに借入金過多の状態です。

ここでひとつの疑問を抱く読者も多いのではないでしょうか。「売上高が増えれば利益が出るから借入は必要ないのでは？」と不思議に感じられるか

3-20. 経営不振企業の再生事例 (1)

▶ある経営不振企業（B 社）の売上高と借入金の推移

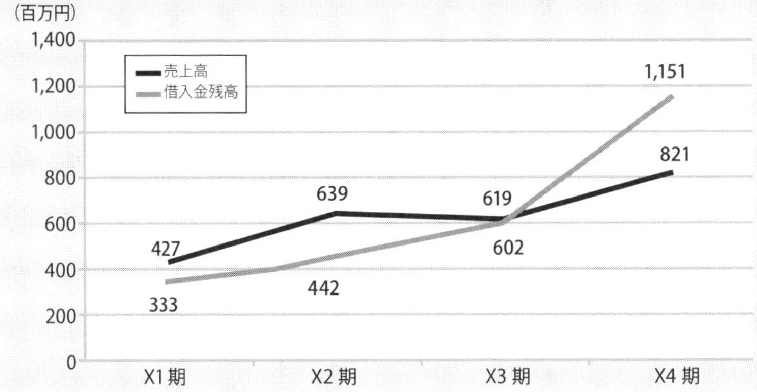

売上高が増えると同時に運転資金を調達するために借入金も増えている

3-21. 経営不振企業の再生事例 (2)

▶B 社の当期 CF（当期利益＋減価償却費）の推移

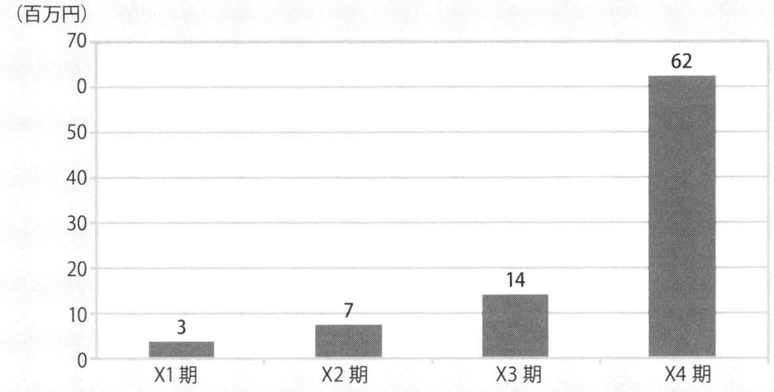

当期 CF は増加傾向

3-22. 経営不振企業の再生事例 (3)

▶B 社のキャッシュフローの推移

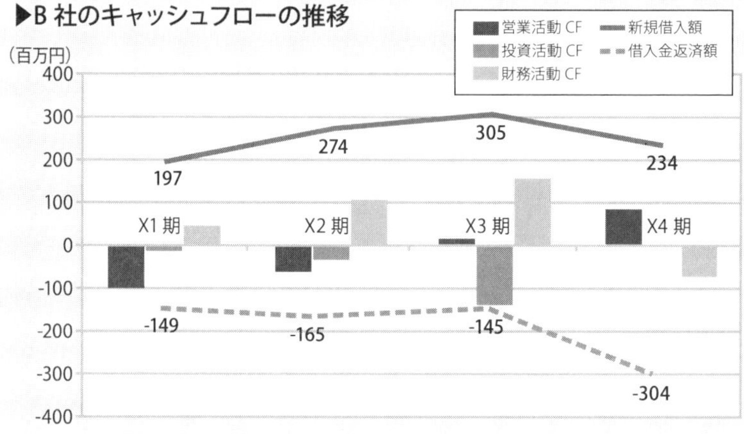

資金不足が常態化し、「借りては返し、返しては借り」の繰り返し

もしれません。成長期にある会社が積極的に投資を行なうために借入金を調達するということはよくありますが、この会社は経営不振の状態にあり、ここ4期間、X3期を除いて設備投資はほとんど行なっていません。実は、中小オーナー企業では、このような財務状態になることが珍しくありません。むしろ、ファイナンス戦略をよほど上手にやらないと、すぐにこうなってしまうのです。

【売上が増えてもキャッシュが足りない……】

次に、図表3-21は、B社の当期CFの推移を示しています。ここでいう当期CFは、金融機関が融資先の会社を分析する際に用いることの多い簡易的な算式（当期利益＋減価償却費）によって計算されたものです。当期CFはわずかですが、黒字トレンドであり、特に直近期においてはそれまでより大きく改善しました。

3-23. 経営不振企業の再生事例 (4)

▶B 社の償還年数と債務超過解消年数の推移

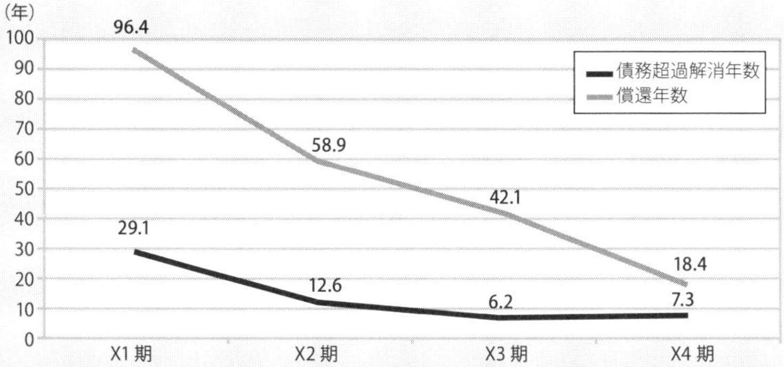

(注1)償還年数=借入金残高 / 当期 CF
(注2)債務超過解消年数=債務超過額 / 当期利益

償還年数・債務超過解消年数ともに回復傾向

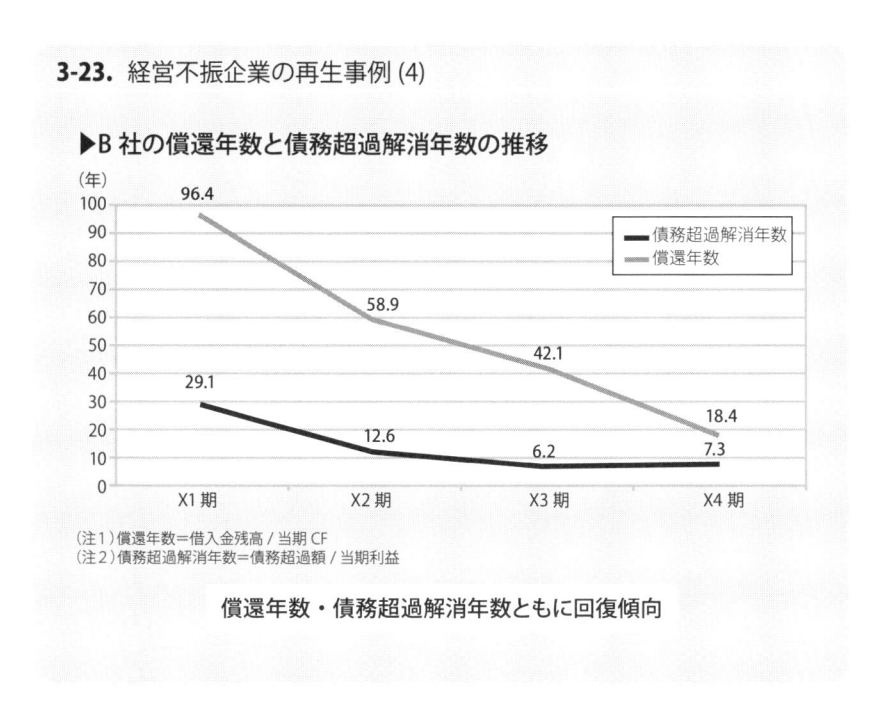

図表 3-22 は、B 社のキャッシュフローの状況を示しています。X2 期までは、営業活動によるキャッシュフローが赤字でしたが、X3 期から黒字に転換しており、事業再生の兆しが少しずつ見えています。一方で、黒字になったとはいえ、脆弱な営業活動によるキャッシュフローと投資活動による赤字のキャッシュフローを財務活動によるキャッシュフローの黒字で埋め合わせています。つまり、営業活動と投資活動で足りなくなったキャッシュを銀行からの新規の借入でまかなっていることを意味しています。X4 期には、営業活動で得たキャッシュフローを借入金の返済にあてていますが、いよいよ借入金の返済額（304 百万円）が相当な負担になってきました。

資金不足が常態化し、毎期の資金繰りのために「借りては返し、返しては借り」という状況に陥っており、きわめて危険な状態です。

なお、X4 期の B 社はグループ会社を吸収合併しており、その際、620 百万円の借入金を引き継いでいるため、借入残高が 1,151 万円になっています。

【そして、過剰債務企業へ】

図表3-23は、B社の償還年数と債務超過解消年数を示しています。償還年数とは、「現在の借入金を当期CFで返済していくと何年かかるか」を表し、（借入金残高/当期CF）という算式で求められます。また、債務超過解消年数は、「債務超過を毎期の当期利益で解消するのに何年かかるか」を示しており、（債務超過額/当期利益）で計算されます。B社は、以前から過剰債務を抱えていたうえに赤字続きで多額の債務超過に陥っていました。通常、金融機関は融資先に対して、償還年数を10年以内にするよう求めています。逆に言えば、償還年数が10年を超えているような会社に対して、追加の融資を行なうことは難しいということになります。また、債務超過解消年数に関しては、債務超過に陥っている過剰債務企業が事業を再生させる過程で金融機関に対してリスケジュール（金利支払いの一時的な猶予や支払期間の延長など）を要請するときには、概ね5年以内とする再建計画を策定することが望ましいとされています。B社は、再建努力によって、償還年数、債務超過解消年数をともに改善させてきましたが、正常な姿からはまだ程遠いといえます。

売上至上主義の怖さ

なぜ、このようにB社の財務内容は悪化していったのでしょうか？

かつてB社は、売上高の拡大を図るため、売れる商品ラインナップを揃えようと積極的に商品の在庫を増やしました。商品を在庫とするために運転資金を必要とするB社は、銀行からの借入によってキャッシュを調達したのです。商品が目論見どおりに売れれば、その利益で借入金を問題なく返済できるため、資金繰りが苦しくなることはないと考えていたB社ですが、現実はそう簡単にいきません。

商品が思うように売れなくなると、返済資金が手当てできないため、なんとかキャッシュを作ろうとします。「キャッシュを作るためには売上を増やすことが一番！」とばかりに、新商品を仕入れることになります。そうすると、追加で必要となる運転資金を手当てするために再び銀行から借りるようになります。しかし、その商品も売れないとなると、残るのは大量の在庫と借入金だけです。

このように運転資金のための借入を続けていくと、新規の借入と返済を繰り返すこととなり、資金繰りが逼迫する負のスパイラルに入り込みます。そして、いったんこのスパイラルに入り込むと、なかなか抜け出すことができなくなってしまうのです。これが「売上至上主義」の恐ろしいところです。

中小オーナー企業の財務が悪化する要因と予防策

中小オーナー企業の財務が悪化する要因の典型例を以下に整理してみましょう。

【要因①　売上至上主義】

上述のとおり、売上高を増やせば利益も稼げるから資金繰りがラクになるという発想は、多くの中小企業のオーナー経営者が抱く幻想です。実際は、売上高を無理に増やそうとしても利益が増えないことが少なくありません。日本の国内市場が縮小している現在においては、経営不振に陥っている中小オーナー企業は、前項で紹介したカッシーナ・イクスシーのように、粗利率の向上を目指すことによって、売上高が増えなくても確実に利益を残すような戦略を実践すべきです。

【要因②　運転資金のための借入】

財務の弱い会社が抱えている問題として、運転資金が常に不足しており、そのために銀行から資金を借りることが挙げられます。運転資金が足りないという状態は、事業が利益を生んでいないか、または、資金の流れが滞っているかのどちらかです。前者であれば赤字を黒字に転換するために粗利率を改善するといった施策が必要ですし、後者であれば売掛金の回収を早める、不良債権を出さないようにする、在庫の回転期間を早める、過剰在庫をなくす、といった施策が必要になります。

いずれにしても抜本的な経営改革を要する問題であり、銀行から一時的に資金を借りたところで解決する問題ではありません。むしろ、そのような経営改革に着手せずして資金繰りのために銀行から資金を借りることは、返す当てのない資金を借りていることになります。言うまでもありませんが、返せる当てのない借入をしてはいけません。問題の先送りは一層経営を苦しめることになります。

【要因③　実地棚卸を疎かにしている】

商品・製品を扱う会社が実地棚卸を行なっていないため、どれだけ資金が寝ているか、経営者自身が気づいていない、という中小オーナー企業は意外に多いものです。驚くことに、そのような会社では、自社の商品・製品の正確な在庫数量が把握されていませんし、滞留している在庫がどのくらいあるのかといった在庫を扱う会社ならば当然把握しておくべき情報を持っていないのです。

売上高が増えていて、利益が出ているのにキャッシュが足りない、という会社は、ほぼ例外なく在庫の滞留が大きな原因です。実地棚卸を定期的に実施して在庫を目の当たりにしている会社は、滞留在庫の発生を未然に防ぐよう注視していますし、仮に発生した場合にはただちに在庫を減らすための手を打つことができます。ですから、実地棚卸はけっして疎かにしないことです。最低でも月に一度は実地棚卸を行なうべきでしょう。実際、滞留在庫によって資金不足が恒常化していた会社が、実地棚卸を行なうようになっただけで資金繰りが著しく改善したというケースもあるのです。

【要因④　月次決算が遅い】

財務内容の悪い中小オーナー企業に共通しているのが、とにもかくにも月次決算を締めるのが遅いという点です。経営不振企業の経営者は、会計に関するデータを軽視する傾向にありますが、これを自社の経営戦略を考えるための材料として使わない手はありません。粉飾決算をしていたら論外ですが、適正に処理された決算関係の情報は会社の経営課題を浮き彫りにしてくれます。そんな貴重な会計情報もタイムリーに作成されてこそ、適時適切な意思決定を可能にし、会社は次の戦略を実行に移すことができるようになります。

ところが、月次決算が翌月末にやっとできあがるような状況では、経営者は会計情報を入手して経営課題を分析したところですでに１か月を経過しており、翌月の戦略実行に生かすことができません。月次決算は締めるのが早いほど、自社の経営課題を早く明らかにし、課題を克服するための活動に速やかに着手することができるのです。月次決算は遅くとも翌月５日以内に締めることが望まれます。

思い出してください。会計情報はヘルスメーターです。体重や体脂肪率などのデータを１か月後に見ても遅いですよね。その間にもさらに健康度合いが悪化してしまう可能性があります。

なお、わかりやすいように中小オーナー企業に多い問題としてきましたが、特に要因①と②は、上場企業や大企業でも同様の症状をかかえる企業は少なくありません。

参考文献：『銀行交渉がうまくいく返済猶予成功術』（桐原浩一）　幻冬舎メディアコンサルティング

06

必要なのは「生産性」と「収益性」を高めること

ベンチャー・中小オーナー企業こそ高い「生産性」と「収益性」を目指せ

ここまで読み進んでこられた読者の方はすでにお気づきかもしれませんが、ベンチャー・中小オーナー企業が目指すべき経営は、①生産性（経営効率）を向上させることと、②収益性（付加価値）を上げることの２点に集約されます。上場している大企業と違って、ベンチャー・中小オーナー企業は、資金力や人員が限られているため、規模の利益を追求することによって原価削減を図り、圧倒的な低価格を実現する経営をめざすことは現実的ではありません。

資本力のある大企業は販売価格、粗利率を低く設定しても、マスマーケットで取引のボリュームを大きくすれば十分やっていけます。ところが、同じことをやろうとしても、資金力で劣るベンチャー・中小オーナー企業ではうまくいきません。ベンチャー・中小オーナー企業が目指すべきファイナンス戦略の基本は「高い生産性（生産効率）」と「高い収益性（付加価値）」です。目標とすべき指標は、生産性については「総資本回転率」と「１人当たり生産性」、収益性については「売上高利益率（経常利益率）」となります（図表3-24）。

「上場企業は規模が大きいから、上場企業の経営指標は参考にならない」とベンチャー・中小オーナー企業の経営者が言うことがよくあります。本当にそうでしょうか？

むしろ、中小オーナー企業やベンチャー企業は、上場企業を上回る収益性、生産性で勝負するしか生き残っていく道はありません。そもそも、１人当た

3-24. ベンチャー・中小オーナー企業が目指すべき経営

▶目指すべきは「高い生産性」と「高い収益性」

目指すべき経営	有効な財務指標
生産性 （経営効率）	**総資本回転率：売上高 ÷ 総資産** 会社の資産を使ってどれだけの売上高をあげているのか、つまり、資産をいかに有効活用できているのかを示している。
	1人当たり生産性：売上高 ÷ 従業員数 会社の1人ひとりがどれだけの売上高や利益をあげているのか、つまり、労働生産性を示している。
収益性 （付加価値）	**売上高利益率：利益 ÷ 売上高** 売上高に対して、どれだけの利益を残すことができているか、つまり、付加価値を示している。

大切なのは、他社比較と時系列に分析すること。
そして、1人当たり生産性についてはトレンドのバランスを見ること

りの生産性は企業規模とは関係なく、中小オーナー企業でもベンチャー企業でも経営効率を向上させることを経営の目標とすべきでしょう。また、収益性については、資金力に劣る中小オーナー企業やベンチャー企業こそ追求すべきです。

収益性や生産性は、マスマーケットで大きなパイを獲得していかなければならない大企業のほうが、売上規模が大きくなるにつれて低下していく宿命にあるのですから。

生産性と収益性が経営に与える影響

決算に関する情報を公表している上場企業のデータを使って、総資本回転率、1人当たり生産性、経常利益率の指標を見ていくことにしましょう。これらの財務指標を分析することは、対象企業の経営の巧拙が理解できるだけ

3-25. 上場アパレル企業３社を対象に分析

ユナイテッドアローズ	日本のセレクトショップの草分け的存在。海外では「儲からない」と言われるセレクトショップ業界で 20 年にわたって増収を記録している。
ファーストリテイリング	言わずと知れた「ユニクロ」ブランド。日本ではSPA（企画・製造・販売のすべてを行なうアパレル企業）として圧倒的な規模と収益性を誇る。
ポイント	「ローリーズファーム」などのブランドでショッピングモールを中心に出店。規模では劣るものの、収益性と生産性ではファーストリテイリングを凌駕してきた会社。トレンド商品をどこよりも圧倒的に早く市場に出す手法は、アパレルというより「生鮮食料品（生モノ）を扱っている」と揶揄されるほど。

でなく、明日から「どのような課題に取り組めばよいのか」「どんな手を打ったらよいのか」という戦略を具体的に浮かび上がらせることができるというメリットがあります。

ここでは、アパレル業界の代表的な会社３社（ユナイテッドアローズ、ファーストリテイリング、ポイント）を取り上げて実際に分析してみましょう（図表 3-25）。

【ユナイテッドアローズ】

ユナイテッドアローズは、2007 年 3 月期に 12.0% を記録した経常利益率が 2009 年 3 月期には 5.4% にまで落ち込みました（図表 3-26）。これを受けて創業者である重松氏が 2009 年 4 月に社長に返り咲きます。その後、同社は 2010 年 3 月期に回復の兆しを見せ、経常利益率は 6.0% へ上昇し、2012 年 3 月期には 10.1% の水準まで復活しています。総資本回転率は 2007 年 3

3-26. ユナイテッドアローズ (1)

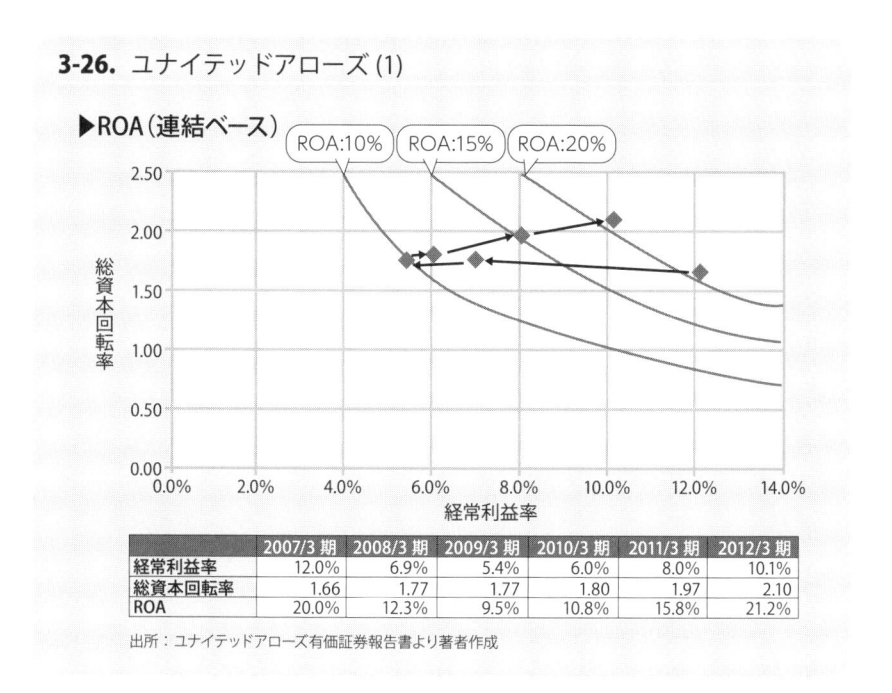

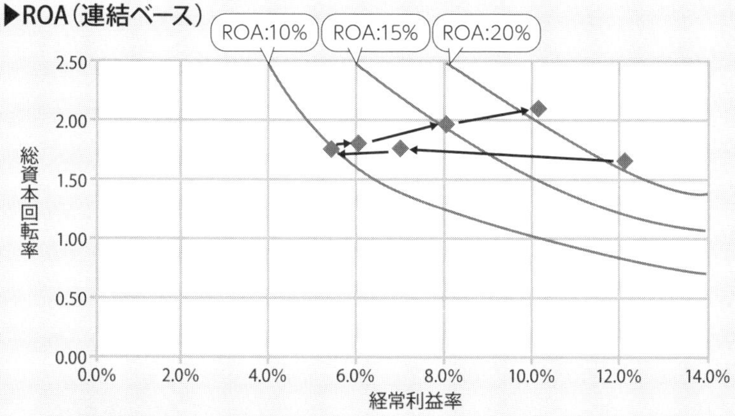

	2007/3 期	2008/3 期	2009/3 期	2010/3 期	2011/3 期	2012/3 期
経常利益率	12.0%	6.9%	5.4%	6.0%	8.0%	10.1%
総資本回転率	1.66	1.77	1.77	1.80	1.97	2.10
ROA	20.0%	12.3%	9.5%	10.8%	15.8%	21.2%

出所：ユナイテッドアローズ有価証券報告書より著者作成

月期から一貫して上昇しており、資本効率の向上に努力していることがうかがえます。

ちなみに、経常利益率と総資本回転率をかけると、ROA（総資本利益率＝経常利益／総資本）というお馴染みの経営指標になります。ROAは収益性と生産性の総合指標ですから、ROAの高い会社は「真に実力のある会社」ということができます（なお、総資本は総資産と読み替えてもかまいません）。

$$\underset{（経常利益率）}{\frac{経常利益}{売上高}} \times \underset{（総資本回転率）}{\frac{売上高}{総資本}} = \underset{（ROA）}{\frac{経常利益}{総資本}}$$

図表3-26は、この計算式をまさに表現しており、横軸を経常利益率、縦軸を総資本回転率とした座標上に、ユナイテッドアローズのROAをプロッ

3-27. ユナイテッドアローズ(2)

▶1人当たり生産性（単体ベース）

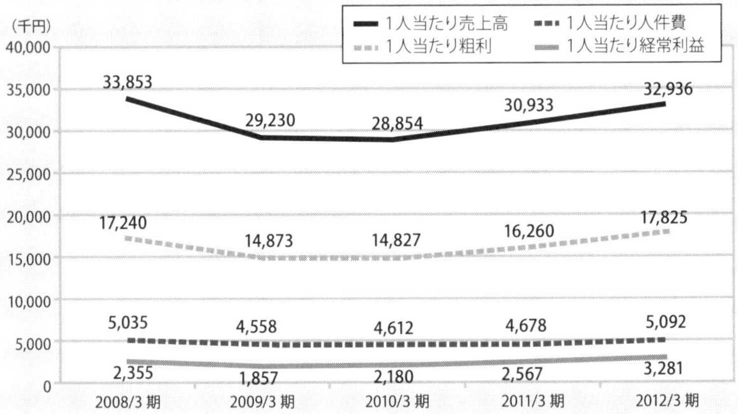

（注）連結P/Lでは給与手当以外の人件費を集計できないため、単体P/Lの「給与手当」「賞与」「賞与引当金繰入」「退職給付費用」「福利厚生費」の合計額を人件費として集計している。
出所：ユナイテッドアローズ有価証券報告書より著者作成

トしています。

次に、1人当たり生産性を見てみましょう（図表3-27）。売上高、粗利、人件費および経常利益を従業員数で割ることによって計算します。分母となる従業員数については、正社員数にアルバイトなどの平均臨時雇用者数の2分の1を加えた数字を用いています。つまり、正社員は1人、アルバイトは0.5人とカウントするということです。

1人当たり生産性という指標の優れているところは、1人ひとりがどのくらいの売上高や利益を稼いでいるかを把握できる点です。1人当たり売上高や利益を1人当たり人件費と比較すれば、人件費の水準が適正かどうかわかりますし、自分の給与や賞与が上がった場合に追加でどのくらいの売上や利益を稼げば正当化されるのかといったことが明確に把握できるようになります。もし仮に、1人当たり経常利益が120万円の会社で全従業員に対して1か月10万円の住宅手当を支給したら、年間の総額は120万円ですから、経

3-28. ユナイテッドアローズ (3)

▶1人当たり生産性(基準年を1とした場合)

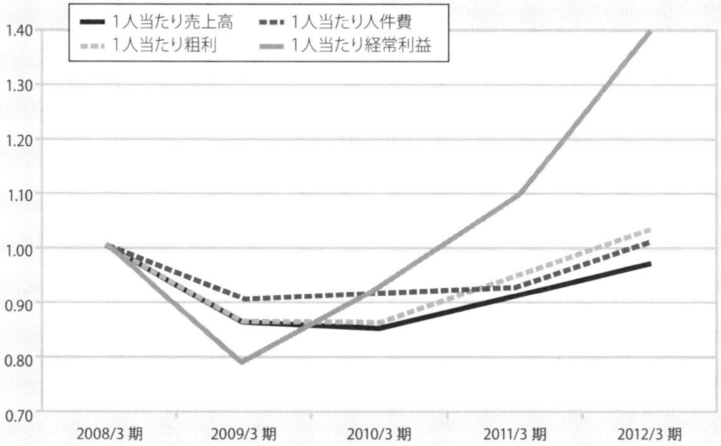

出所:ユナイテッドアローズ有価証券報告書より著者作成

3-29. ユナイテッドアローズ (4)

▶株価推移

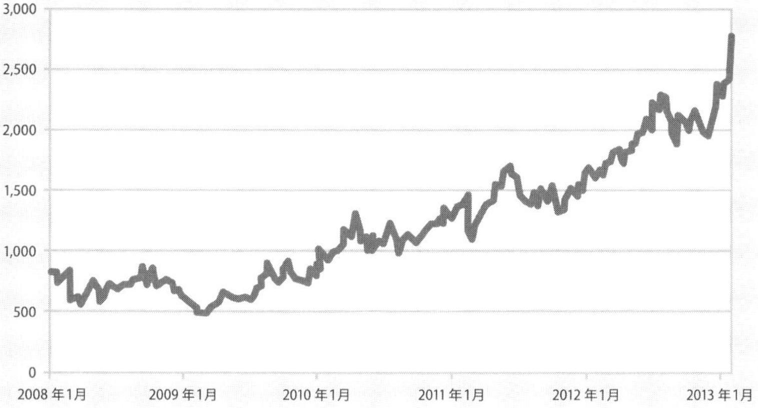

出所:Yahoo!ファイナンス
2008年1月1日から2013年3月11日までの週次株価に基づく

常利益はゼロとなるわけです。

図表3-28は、図表3-27が示した1人当たり生産性指標について基準年である2008年3月期の数値を1とした場合に2009年3月期以降の数値がどのように推移しているかを示しています。これは上場企業の株価推移を分析するときによく用いる手法ですが、それぞれの1人当たり生産性指標のトレンドがどのような傾向にあるかを理解するのに役立ちます。

ユナイテッドアローズの場合、2010年3月期にかけて、1人当たり売上高、1人当たり粗利、1人当たり経常利益の落ち込みが1人当たり人件費の低下を上回っており、労働生産性を改善するために何らかの努力が必要であると理解することができます。これによって、働き方や仕事の進め方を工夫して営業効率を上げたり、または時間外労働を減らすのか、高すぎる人件費を下げるのか、といった打ち手が考えられるわけです。

ユナイテッドアローズは、一時はリーマンショックに伴う消費不況の影響を受けたものの、その後は収益性、生産性の双方の改善を図り、株式市場でも業績回復が評価されていることがわかります（図表3-29）。

【ファーストリテイリング】

図表3-30は、ファーストリテイリングの経常利益率と総資本回転率を示しています。一般的に「デフレの申し子」のように評されることの多い同社ですが、収支構造は極めて高収益体質といえます。2008年8月期以降、ROAは一貫して20%を超えており、日本の上場企業の中でもトップクラスの数値を誇ります。

余談になりますが、同社の「ユニクロ」ブランドは圧倒的な低価格を実現した“安売り店”であり、低収益に甘んじている、と誤解している中小オーナー企業の経営者が少なくありません。ユニクロの低価格は表面的な特徴であって、同社の強さの本質ではありません。調達、生産、発注、物流、販売といったバリューチェーンのあらゆる分野でイノベーションを起こすことに成功した結果、誰でも買える低価格を実現しながらも高収益を確保できるし

3-30. ファーストリテイリング (1)

▶ROA（連結ベース）

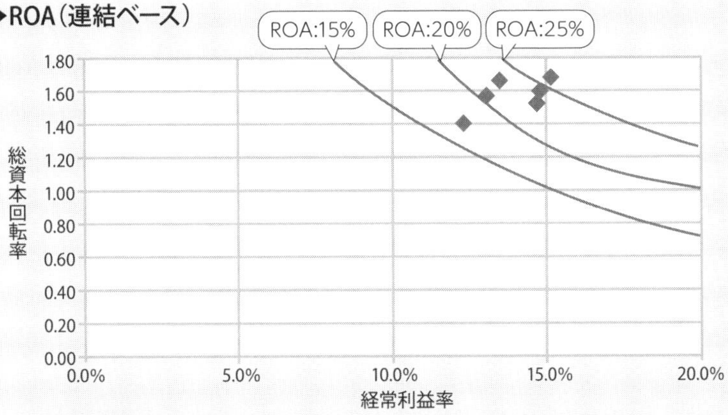

	2007/8 期	2008/8 期	2009/8 期	2010/8 期	2011/8 期	2012/8 期
経常利益率	12.3%	14.6%	14.8%	15.2%	13.1%	13.5%
総資本回転率	1.42	1.53	1.58	1.68	1.58	1.65
ROA	17.5%	22.4%	23.3%	25.5%	20.6%	22.2%

出所：ファーストリテイリング有価証券報告書より著者作成

3-31. ファーストリテイリング (2)

▶1人当たり生産性（連結ベース）

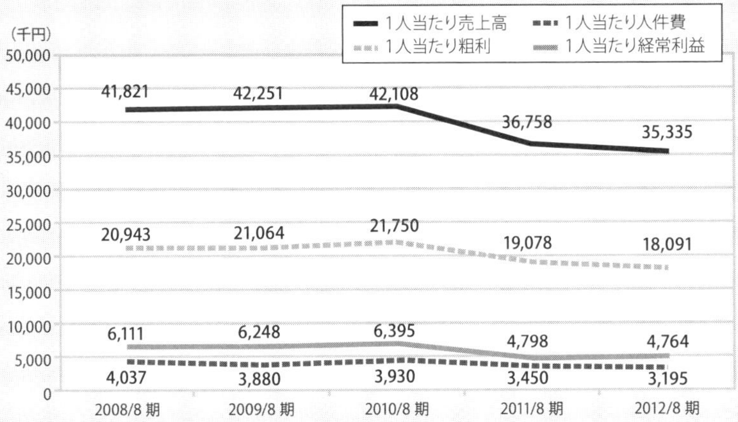

（注）「給与手当」以外の人件費は不明のため、人件費は給与手当のみとしている。
出所：ファーストリテイリング有価証券報告書より著者作成

3-32. ファーストリテイリング(3)

▶1人当たり生産性(基準年を1とした場合)

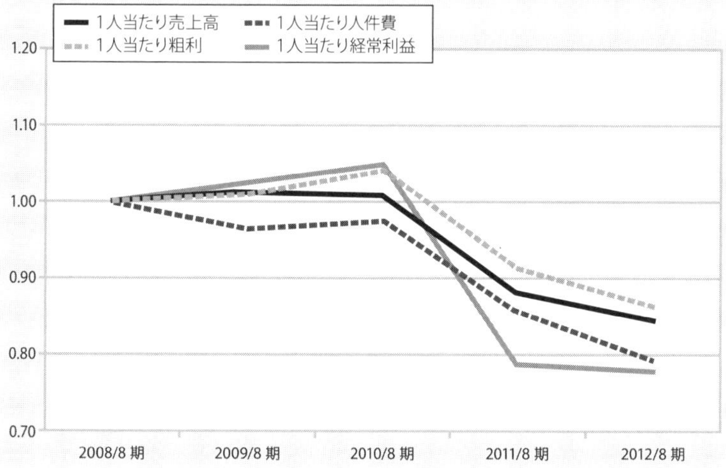

出所:ファーストリテイリング有価証券報告書より著者作成

3-33. ファーストリテイリング(4)

▶株価推移

出所:Yahoo! ファイナンス
2008年1月1日から2013年3月11日までの週次株価に基づく

くみを作り上げたことが同社の本当の強みなのです。中小オーナー企業が形だけ低価格を真似してみても、高収益を生み出すしくみを作ることができなかったら利益を上げることはできません。

さて、本論に戻りましょう。ファーストリテイリングの１人当たり生産性指標は、ここへ来て低下傾向にあります（図表3-31）。この生産性の低下は同社の大きな課題といえます。もっとも、同社が優れているのは、１人当たり経常利益の水準が１人当たり人件費のトレンドより落ち込んでいるものの、売上高と粗利に関しては１人当たり利益水準が１人当たり人件費よりも落ち込んでいないという点です（図表3-32）。これこそ同社の決定的な強みかもしれません。

株式市場もファーストリテイリングの地力を評価しており、リーマンショック前と比較しても３倍以上の株価を付けていることがわかります（図表3-33）。

3-34. ポイント (1)

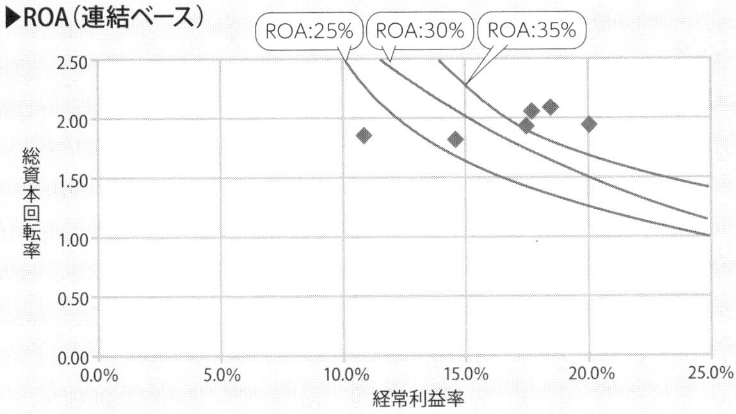

	2007/2期	2008/2期	2009/2期	2010/2期	2011/2期	2012/2期
経常利益率	20.0%	17.6%	18.4%	17.5%	14.6%	10.9%
総資本回転率	1.94	2.06	2.07	1.92	1.80	1.84
ROA	38.8%	36.1%	38.2%	33.6%	26.3%	20.1%

出所：ポイント有価証券報告書より著者作成

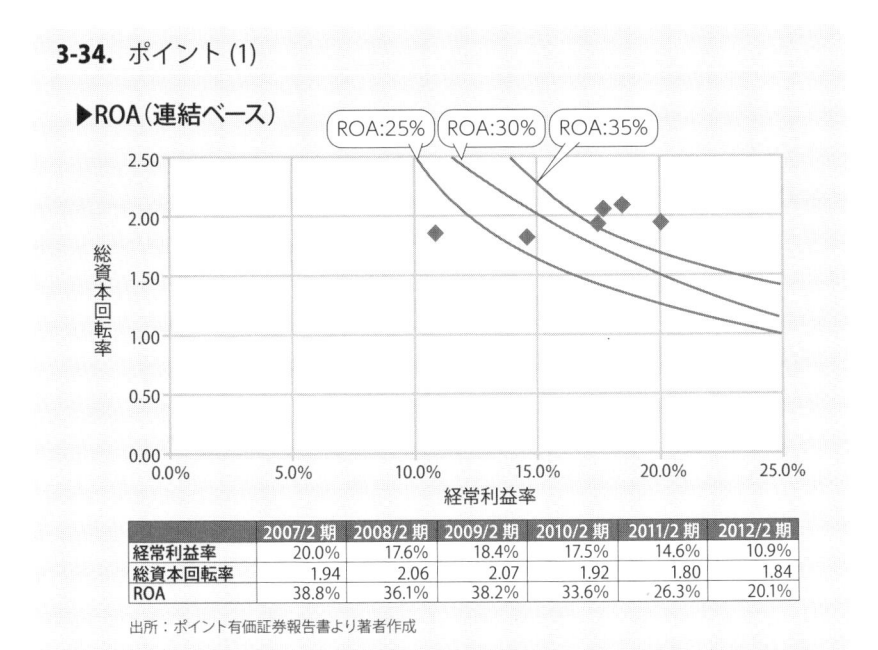

【ポイント】

図表3-34は、ポイントの経常利益率と総資本回転率の推移を示しています。2007年2月期に記録した20.0%という経常利益率も38.8%というROAも日本の上場企業の中ではトップクラスの数値です。同社は、話題性の多いファーストリテイリングの陰に隠れてあまり目立っていませんが、規模ではファーストリテイリングに劣るものの、収益性や生産性ではファーストリテイリングを圧倒しています。ただ、超優良企業の代表格であるポイントですが、近年はROAの低下傾向に歯止めがかかりません。

1人当たり生産性指標を見ても、その傾向は顕著です（図表3-35）。ポイントの問題の根が深いところは、1人当たり人件費が高止まりしている一方、1人当たり売上高や利益の水準が落ち込んでいる点です（図表3-36）。

収益性と生産性を回復させるための有効な手が打てない同社に対して、株式市場も懐疑的になっていることがわかります（図表3-37）。

3-35. ポイント (2)

▶1人当たり生産性（連結ベース）

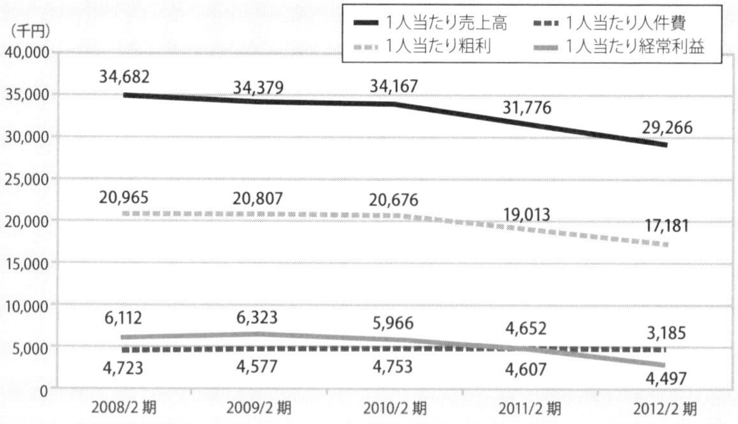

（注）人件費は「給与賞与」「賞与引当金繰入」「福利厚生費」の合計額としている。
出所：ポイント有価証券報告書より著者作成

3-36. ポイント (3)

▶1人当たり生産性（基準年を1とした場合）

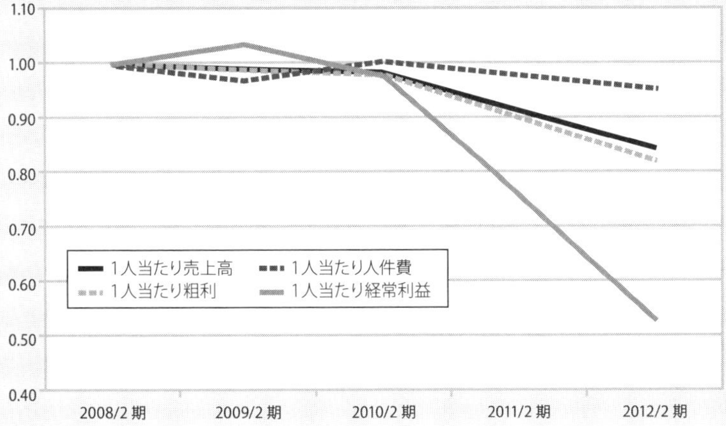

出所：ポイント有価証券報告書より著者作成

3-37. ポイント (4)

▶株価推移

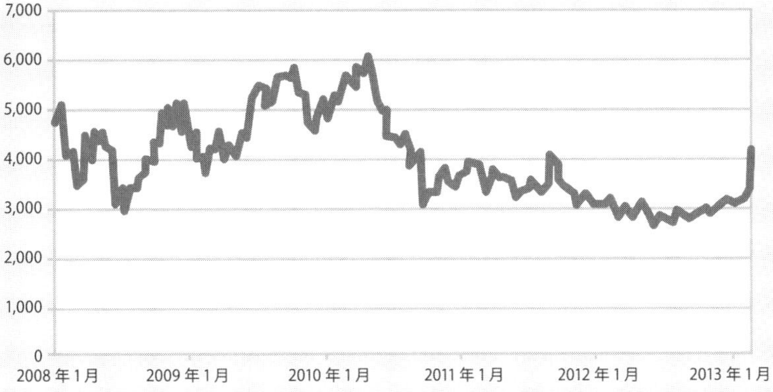

出所：Yahoo!ファイナンス
2008年1月1日から2013年3月11日までの週次株価に基づく

3-38. 3社の株価比較

▶株価推移（2008年1月1日の株価を1とした場合）

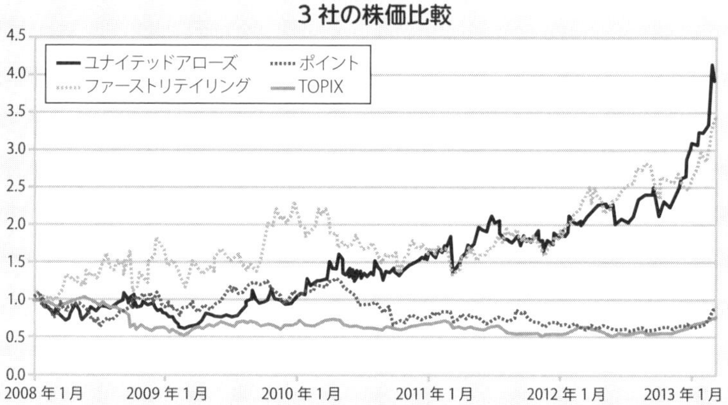

出所：Yahoo！ファイナンス
2008年1月1日から2013年3月11日までの週次株価に基づく

【3社に対する評価】

ユナイテッドアローズ、ファーストリテイリング、ポイントの3社とTOPIXを比較してみましょう。2008年1月第1週の株価を1とした場合のこれらの指標の推移を見ると（図表3-38)、TOPIXが半分の水準に下落しているのに対して、ユナイテッドアローズとファーストリテイリングの2社は株価が3倍以上に上昇しています。一方、ポイントはTOPIXをかろうじてアウトパフォームしているものの、5年前の株価に対して9割の水準にとどまっています。

生産性や収益性の高い会社は、効率よく利益やキャッシュを獲得することができるため、企業価値が向上します。そのため、株式市場も高い生産性と収益性を実現する会社を積極的に評価しているのです。

参考文献：『実学 中小企業のパーフェクト会計』（岡本吏郎）　ダイヤモンド社

07 ROICで経営課題を浮き彫りにする

ROICで儲けの構造を知る

「企業の特徴を説明してください」と問われると、普通は「自由闊達な社風」「製品のデザインが良い」「給料が高い」といったメディア情報や口コミなどをもとにしたイメージが返ってきます。でも、ここではファイナンス戦略を立案するために企業を理解することが目的ですから、会計とファイナンスの視点から企業の特徴を明らかにしておく必要があります。

ファイナンスの世界では、企業の実力はキャッシュを獲得する能力で測られます。そして、将来のキャッシュフローの源泉は「利益」、つまり、「儲け」ということになります。世の中に企業はたくさんありますが、儲けの構造は企業ごとに千差万別です。ファイナンスの視点にもとづく企業分析では、儲けの構造を知ることが企業の特徴を理解することにほかなりません。

ここでは、「儲けの構造」をもう少しわかりやすくし、「企業が投下した資産をいかに有効活用して本業の利益を獲得しているか」と定義します。この儲けの構造を分析するために便利なツールが**「投下資産利益率」（Return On Invested Capital: ROIC**、「ロイック」といいます）という概念です。

$$\text{投下資産利益率（ROIC）} = \frac{\text{税引後営業利益}}{\text{事業投下資産}}$$

ROIC計算式の分子である「税引後営業利益」は、損益計算書（P/L）上の営業利益からそれに係る税金を控除したものです。分母となる「事業投下資産」は、日々の事業活動に最低限必要な資産・負債である「運転資本」、および、事業活動に用いられる「有形固定資産」、そして「無形固定資産」および「投資その他」のうち本社や店舗を賃借するために差し入れた保証金などの事業用資産から構成されます。営業利益は対象企業の事業活動によって得られた儲けであり、事業投下資産は直接事業活動を行なうために投下された資産を意味するため、ROICが“事業に投下した資産に対する儲け”を表していることが理解できると思います。

ROAやROEの欠陥

ROICによく似た概念として、**株主資本利益率（Return On Equity：ROE）**と**総資本利益率（Return On Assets：ROA）**があります。ROEやROAは、財務分析を行なうための代表的な指標であり、一般的にはROICより馴染みのある概念だと思います。また、決算書を見れば誰でも簡単に計算できるという簡便性から、経営計画の中で設定する目標数値としても多く用いられています。

$$\text{株主資本利益率（ROE）} = \frac{\text{当期純利益}}{\text{純資産（株主資本）}}$$

$$\text{総資本利益率（ROA）} = \frac{\text{経常利益}}{\text{総資産}}$$

上場企業が集まる株式市場では、長い間、ROEをいかに向上させるかというファイナンス戦略が重視されてきました。ROEの分子は株主に帰属する当期純利益であり、分母は純資産（株主資本）ですから、株主から拠出された資本がいかに効率的に利益を上げているかを示しています。そのため、株式市場がROEを重視するのは極めて当然のことといえるでしょう。

しかしながら、そのような株主利益の最大化だけを追求する「株主資本至上主義」ともいうべき行き過ぎた考え方が横行した結果、近年、歪んだファ

3-39. ROE・ROAの欠陥

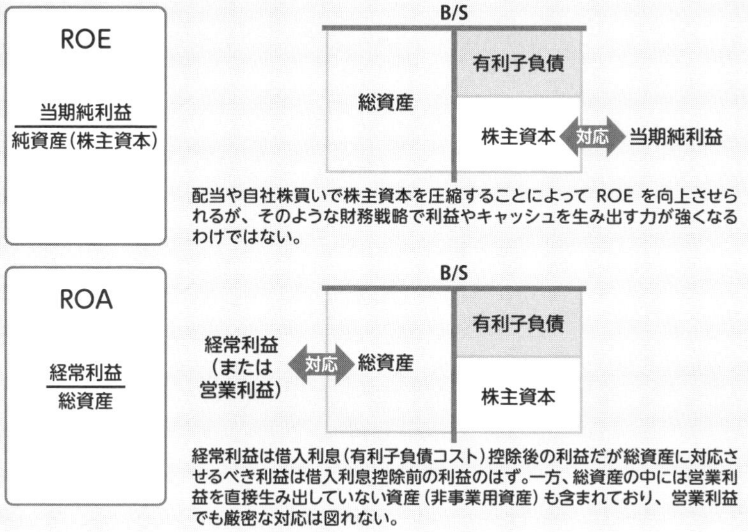
ROE
当期純利益
純資産（株主資本）
B/S
総資産
有利子負債
株主資本
対応
当期純利益
配当や自社株買いで株主資本を圧縮することによって ROE を向上させられるが、そのような財務戦略で利益やキャッシュを生み出す力が強くなるわけではない。
ROA
経常利益
総資産
B/S
経常利益
（または
営業利益）
対応
総資産
有利子負債
株主資本
経常利益は借入利息（有利子負債コスト）控除後の利益だが総資産に対応させるべき利益は借入利息控除前の利益のはず。一方、総資産の中には営業利益を直接生み出していない資産（非事業用資産）も含まれており、営業利益でも厳密な対応は図れない。

イナンス戦略がとられるようになったこともまた事実です。手っ取り早くROEを向上させるために過剰な費用削減で当期純利益を増やしたり、分母の純資産を必要以上に小さくする企業も存在していました。

ROEの向上を目指した一部の会社は、一部の株主からの要求もあり、積極的に配当や自社株買いを実施するといったファイナンス戦略に走りました。これにより純資産は小さくなります。景気が好調なときはキャッシュフローが潤沢だったため問題は起きませんでしたが、2008年後半の金融危機に直面すると一転、そのような会社は現金の不足、過度な借入依存体質や純資産の脆弱さが災いして財務的に苦境に立たされることになったのです。

このように、ROEには財務レバレッジ（資本構成：借入金と株主資本をどのような比率で調達するか）の影響を受けるという特徴があります。対象企業が本来持っているキャッシュを獲得する力、すなわち、儲けの構造を理解するための業績分析において、ROEのみの利用は必ずしもふさわしくあ

3-40. ROICの計算式の意味

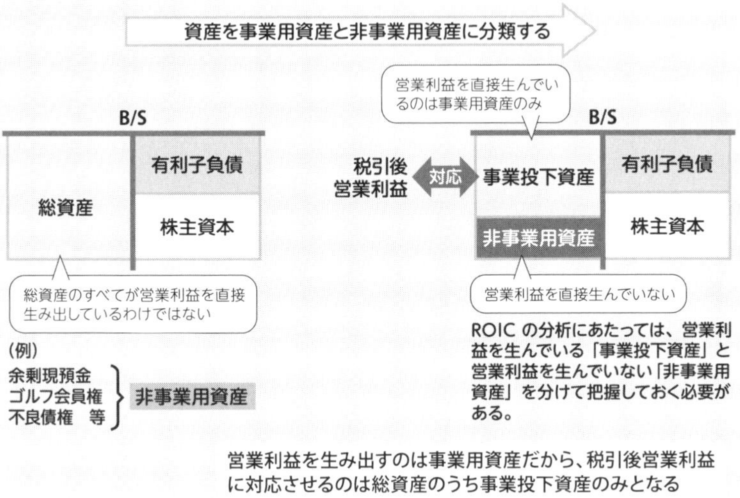

資産を事業用資産と非事業用資産に分類する
B/S
総資産
有利子負債
株主資本
総資産のすべてが営業利益を直接生み出しているわけではない
(例)
余剰現預金
ゴルフ会員権
不良債権　等
非事業用資産
営業利益を直接生んでいるのは事業用資産のみ
B/S
税引後営業利益
対応
事業投下資産
非事業用資産
有利子負債
株主資本
営業利益を直接生んでいない
ROICの分析にあたっては、営業利益を生んでいる「事業投下資産」と営業利益を生んでいない「非事業用資産」を分けて把握しておく必要がある。
営業利益を生み出すのは事業用資産だから、税引後営業利益に対応させるのは総資産のうち事業投下資産のみとなる

りません（図表3-39）。

一方、ROAは「総資産を使っていかに利益を上げたか」を表す代表的な財務指標です。ROAの計算式の分母は総資産ですが、分子は経常利益が用いられるケースが多いようです。

経常利益は本業で稼いだ営業利益から受取利息などの営業外収益を加え、借入金の利息などの営業外費用を差し引いて求められています。ところが、分母の総資産は銀行からの借入金と株主からの出資で調達することによって投下されたすべての資産ですから、厳密には対応させる分子の利益も借入金の利息を差し引く前の利益、すなわち、営業利益（または、経常利益に支払利息を加算した数値）とするべきです。

では、営業利益を使えばこの問題は解決するでしょうか。財務分析の教科書では、分子に営業利益を用いてROAを計算しているケースも見られますが、総資産の中には本業の利益を生み出すのに直接関係のない資産（たとえ

ば、ゴルフ会員権や保険積立金、不良債権など）も含まれているため、営業利益によっても総資産との厳密な対応を図ることはできません。ROAの計算上、分子に営業利益、経常利益のどちらを用いても分母の総資産との厳密な整合性は確保できないのです（図表3-39）。

対してROICは、事業活動の結果得られた利益である税引後営業利益に対して、純粋な意味で事業に投下され営業利益を生み出した資産（事業投下資産）だけを対応させるものです。そのため、儲けの構造を明らかにするための業績分析ではROICを用いるのがより適切といえるのです（図表3-40）。

ROICはバリュードライバーを明らかにする

ROICが優れているところは、企業の儲けの構造を理解しやすいレベルにまでブレイクダウンできることにあります。図表3-41は、ROICの構成要素を示したもので、一般に「ROICツリー」と言われています。

まず、ROICは「税引前ROIC」と「営業利益に対する実効税率」に分解されます。税引前ROICは、営業利益と事業投下資産の比率で、事業投下資産が税引前のレベルで営業利益をどれだけ生み出しているかを示します。実効税率というのは、利益に対する税額の占める割合を示す比率であり、理論的には法律で定められている法人税、住民税、事業税の税率で自動的に決まってきます。日本の大企業の場合、現在の実効税率は税引前当期純利益に対して概ね40%程度ですが、赤字を計上した過年度に発生した税務上の欠損金を課税所得と相殺することによって税金負担が少なくなり、見かけ上の実効税率が低くなることもあります。このように、ROICは税金の特殊要因によって毎期変動する可能性があることを考慮しておかなければなりません。

次に、税引前ROICは、収益性を表す指標である「売上高営業利益率」と生産性（資本効率）を表す指標である「資本回転率」に分解されます。さらに、売上高営業利益率は「売上高売上原価率」「売上高減価償却費率」「売上高販売費及び一般管理費率」に、資本回転率は「運転資本回転率」「事業用

3-41. ROICの構成要素（ROICツリー）

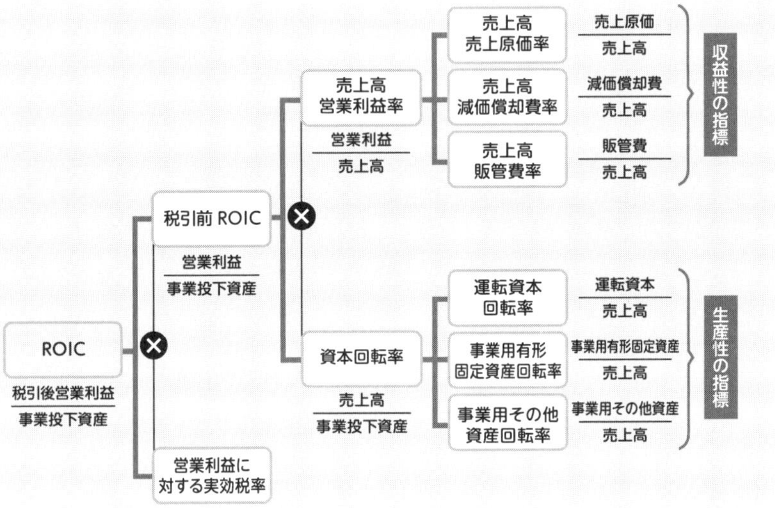

3-42. ROICの構成要素関係式

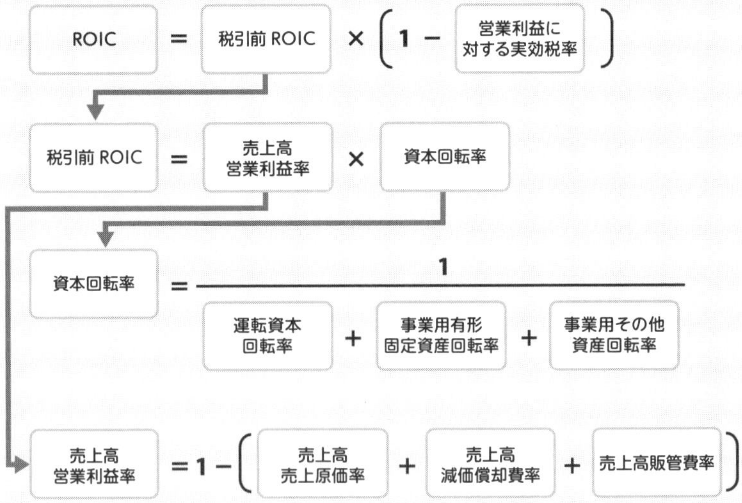

有形固定資産回転率」「事業用その他資産回転率」にそれぞれ分解できます。なお、ROICを構成するそれぞれの要素が正しく計算されていれば、それらの間には図表3-42に示している等式が成り立ちます。

多くの投資家は、株式投資の際、対象企業の「収益性」「生産性（資本効率）」「成長性」の3つの要素に注目します。図表3-41のROICの構成要素を見ていただくとわかりますが、売上高営業利益率は売上高のうちどれだけが利益として残るかを示す「収益性」、そして資本回転率は資産がいかに効率的に売上を生み出しているかという「生産性（資本効率）」を表します。これらのROICの構成要素は対象企業の決算期ごとに計算されますが、ROICを時系列で算出すると売上高の年成長率、すなわち、「成長性」を知ることができます。このように、ROICは投資家の思考にも一致しています。

ROICを用いた分析では、これらの構成要素に関する数値の推移を時系列で追跡したり同業他社のそれと比較したりといった分析を行なうことで、対象企業の収益性・生産性・成長性、すなわち、儲けの構造が見えてきます。そして、どのような要素が利益やキャッシュフロー、ひいては、事業価値の多寡に影響を与えているかということが理解できるようになります。

このように事業価値に直接的な影響を与える要素を**「バリュードライバー」**といいますが、ROICは、このバリュードライバーを明らかにしてくれる実に心にくいツールなのです。

ROICを用いた分析

それでは、ROICを使って実際に分析をしてみましょう。

再びアパレル業界の3社（ユナイテッドアローズ、ファーストリテイリング、ポイント）に登場してもらいます。

図表3-41で見ていただいたとおり、ROICは税引前ROICと実効税率に分解することができますが、本書では税引前ROICのみを使って分析を行ないます（以下、税引前ROICを単に「ROIC」と表記することにします）。

【ユナイテッドアローズ】

ユナイテッドアローズの直近5期間にわたるROICの推移を見てみましょう（図表3-43）。2008年3月期に19.3%だったROICは2010年3月期に14.5%まで落ち込んだものの、2012年3月期には32.9%まで上昇しています。繰り返しになりますが、ROICは「事業に投下された資産がどれだけ営業利益を生み出したか」を示しています。同社の場合、リーマンショックで事業投下資産が利益を生み出す力が一時低下しましたが、逆にそのような危機を経営改革の機会と捉えてROICの向上を図ることに成功しています。

ROICをブレイクダウンすると、売上高営業利益率（営業利益/売上高）は2008年3月期の6.8%から2012年3月期には10.0%と3.2ポイントも上昇しており、資本回転率（売上高/事業投下資産）も2008年3月期の2.8から2012年3月期には3.3と大きく改善していることがわかります。このようにユナイテッドアローズは、この5年間で収益性と生産性の双方の改善によってROICを著しく向上させたことがわかります。

なお、ユナイテッドアローズの2012年3月期のROICを分解すると図表3-44のようになります。図表3-44のようにROICを分解した要素ごとの直近5年間の推移グラフを一覧にすると、何が原因でROICが改善したり悪化したりしているのかがわかります（図表3-45）。同社の売上高営業利益率の改善は、売上高売上原価率が5年間で3.4ポイントも低下した（2008年3月期：48.9%→2012年3月期：45.5%）ことが大きく寄与しています。安易な値下げをやめた、または仕入コストを削減したなどの戦略をとったものと想像されます。

また、売上高が増えていくと通常は売上高販管費率（減価償却費を除く販管費/売上高）が上昇する傾向にありますが、同社のそれは0.2ポイントの上昇（2008年3月期：42.6%→2012年3月期：42.8%）にとどまっていることも特筆に値するでしょう。

運転資本、事業用有形固定資産、事業用その他資産の回転率も万遍なく改善していることが同社の資本回転率の向上に貢献しています。

3-43. ユナイテッドアローズのROIC分析

▶ ROICの推移

	実績 2008/3	実績 2009/3	実績 2010/3	実績 2011/3	実績 2012/3
税引前ROIC	**19.3%**	**14.7%**	**14.5%**	**24.6%**	**32.9%**
営業利益/売上高	**6.8%**	**5.4%**	**5.9%**	**8.2%**	**10.0%**
売上原価（減価償却費除く）/売上高	48.9%	49.0%	48.7%	47.0%	45.5%
減価償却費/売上高	1.6%	1.9%	2.3%	2.1%	1.8%
販管費（減価償却費除く）/売上高	42.6%	43.7%	43.1%	42.7%	42.8%
売上高/事業投下資産	**2.8**	**2.7**	**2.5**	**3.0**	**3.3**
運転資本/売上高	15.8%	17.8%	21.1%	15.5%	14.3%
事業用有形固定資産/売上高	8.7%	8.5%	9.3%	8.3%	8.0%
事業用その他資産/売上高	10.8%	10.7%	10.3%	9.3%	7.9%

3-44. ユナイテッドアローズのROIC分析

▶ROICツリー（2012年3月期）

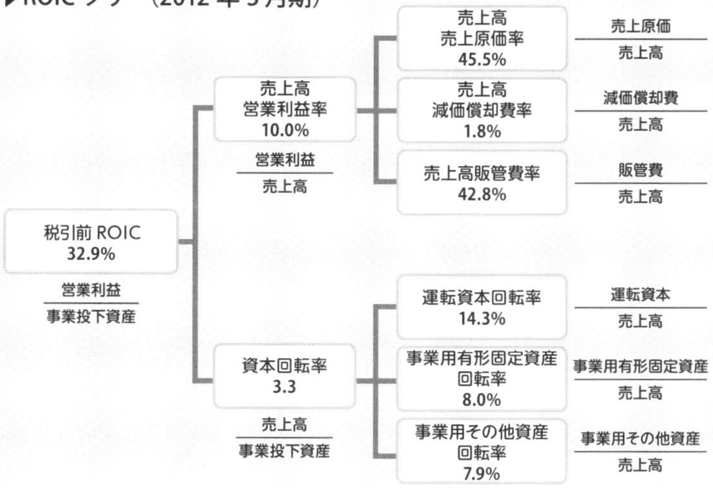

3-45. ユナイテッドアローズのROIC分析

▶ROICツリー(2008/3期～2012/3期)

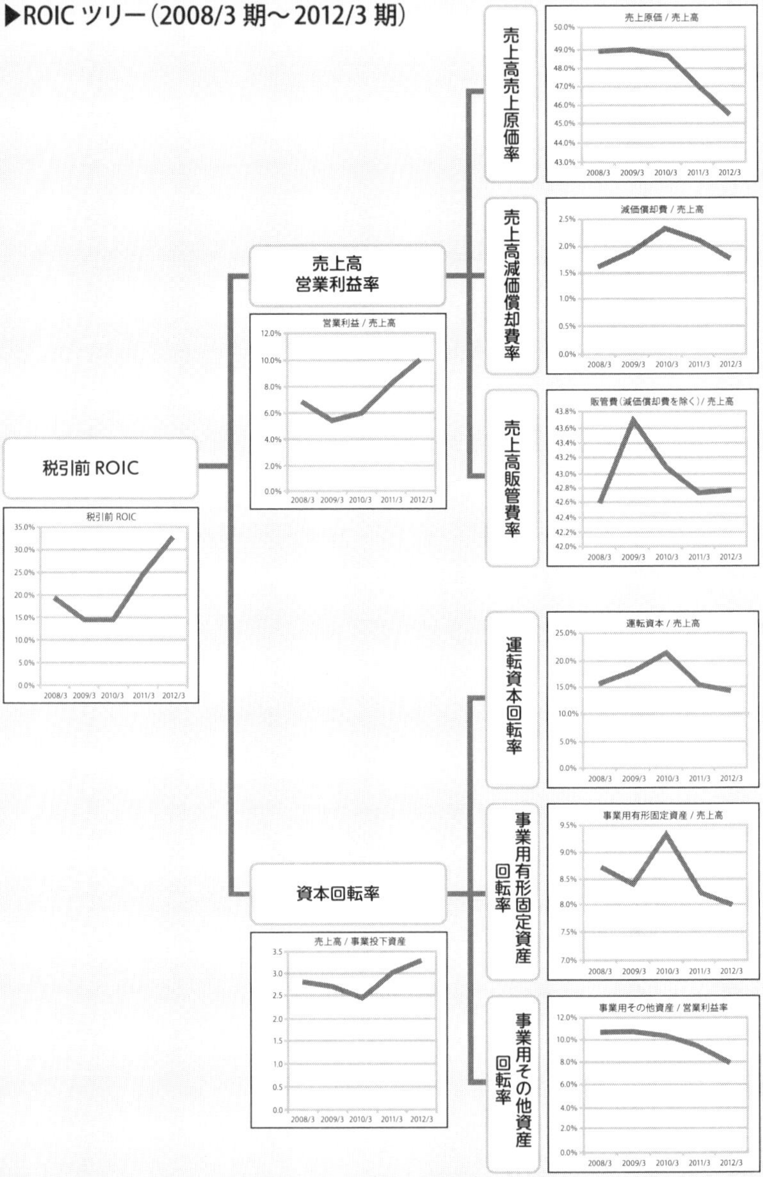

【ファーストリテイリング】

ファーストリテイリングの直近5年間にわたる高いROICの水準には目を見張るものがあります（図表3-46、3-47）。2008年8月期から一貫してROICは50%を超えています。この期間におけるROICの上昇は17.0ポイントとなっていますが、その内訳をみると、売上高営業利益率は1.3ポイント低下し（2008年8月期：14.9%→2012年8月期：13.6%）、資本回転率は1.6ポイント改善（2008年8月期：3.4→2012年8月期：5.0）しています。

ファーストリテイリングの売上高営業利益率の内訳をみると、売上高売上原価率が1.1ポイント改善（2008年8月期49.9%→2012年8月期：48.8%）しているものの、売上高販管費率は2.2ポイント上昇（2008年8月期32.8%→2012年8月期：35.0%）しています。また、同社の資本回転率の向上は、2008年8月期に6.6%を記録していた運転資本回転率（運転資本／売上高）が2012年8月期に3.6%となったこと、事業用その他資産／売上高が

3-46. ファーストリテイリングのROIC分析

▶ ROICの推移

	実績 2008/8	実績 2009/8	実績 2010/8	実績 2011/8	実績 2012/8
税引前ROIC	**50.7%**	**76.3%**	**82.2%**	**75.3%**	**67.7%**
営業利益／売上高	**14.9%**	**15.9%**	**16.2%**	**14.2%**	**13.6%**
売上原価（減価償却費除く）／売上高	49.9%	50.1%	48.3%	48.1%	48.8%
減価償却費／売上高	2.4%	2.4%	2.4%	3.1%	2.6%
販管費（減価償却費除く）／売上高	32.8%	31.6%	33.0%	34.6%	35.0%
売上高／事業投下資産	**3.4**	**4.8**	**5.1**	**5.3**	**5.0**
運転資本／売上高	6.6%	1.1%	0.2%	0.0%	3.6%
事業用有形固定資産／売上高	6.4%	5.9%	5.6%	6.1%	6.2%
事業用その他資産／売上高	16.4%	13.8%	13.9%	12.7%	10.3%

3-47. ファーストリテイリングのROIC分析

▶ROICツリー（2008/8期〜2012/8期）

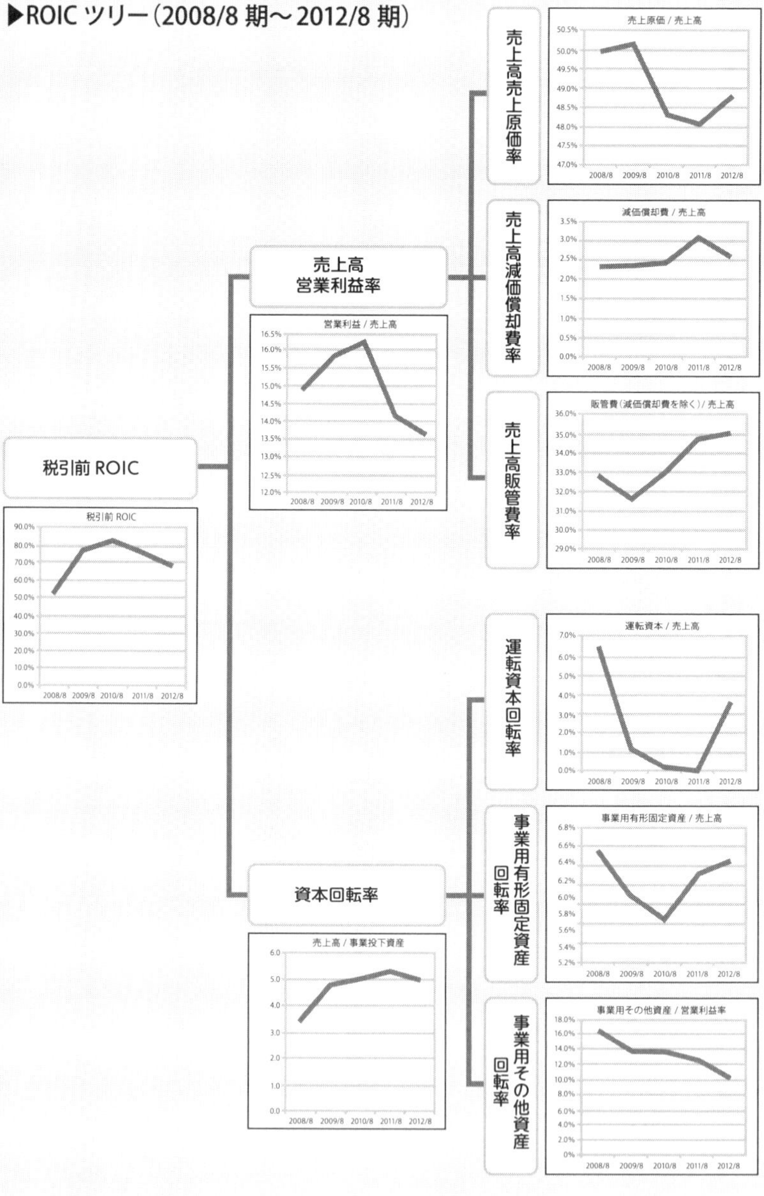

同期間に16.4%から10.3%に改善したことが寄与しています。

2008年8月期と2012年8月期を比べると、P/Lをベースとした営業利益率だけ見ると同社の状況は悪化していますが、コスト増の悪影響を資本回転率を上げることで吸収しようとしています。結果、利益率は下がったのにROICは上昇しているのです。売上と費用だけではないB/Sのマネジメントがいかに重要かを如実に表している事例です。

【ポイント】

ポイントのROICは、この5年間で著しく低下しています（図表3-48、3-49）。2010年2月期までは130%を超える驚異的な数値を記録していましたが、2012年2月期には62.1%と約半分の水準まで落ち込んでしまいました。ROICの62.1%という水準は、絶対値としては非常に高いものの、直近5年間で一貫して低下しているところに同社の経営課題が端的に現れています。

3-48. ポイントのROIC分析

▶ ROICの推移

	実績 2008/2	実績 2009/2	実績 2010/2	実績 2011/2	実績 2012/2
税引前ROIC	**130.9%**	**139.2%**	**136.2%**	**92.2%**	**62.1%**
営業利益/売上高	**17.5%**	**18.2%**	**17.3%**	**14.5%**	**10.7%**
売上原価（減価償却費除く）/売上高	39.6%	39.5%	39.5%	40.2%	41.3%
減価償却費/売上高	0.8%	0.8%	1.3%	2.2%	3.2%
販管費（減価償却費除く）/売上高	42.1%	41.5%	41.9%	43.1%	44.7%
売上高/事業投下資産	**7.5**	**7.6**	**7.9**	**6.4**	**5.8**
運転資本/売上高	0.0%	0.0%	0.0%	0.0%	0.0%
事業用有形固定資産/売上高	4.1%	3.4%	3.1%	5.9%	7.5%
事業用その他資産/売上高	9.3%	9.6%	9.6%	9.8%	9.8%

3-49. ポイントのROIC分析

▶ROICツリー（2008/2期〜2012/2期）

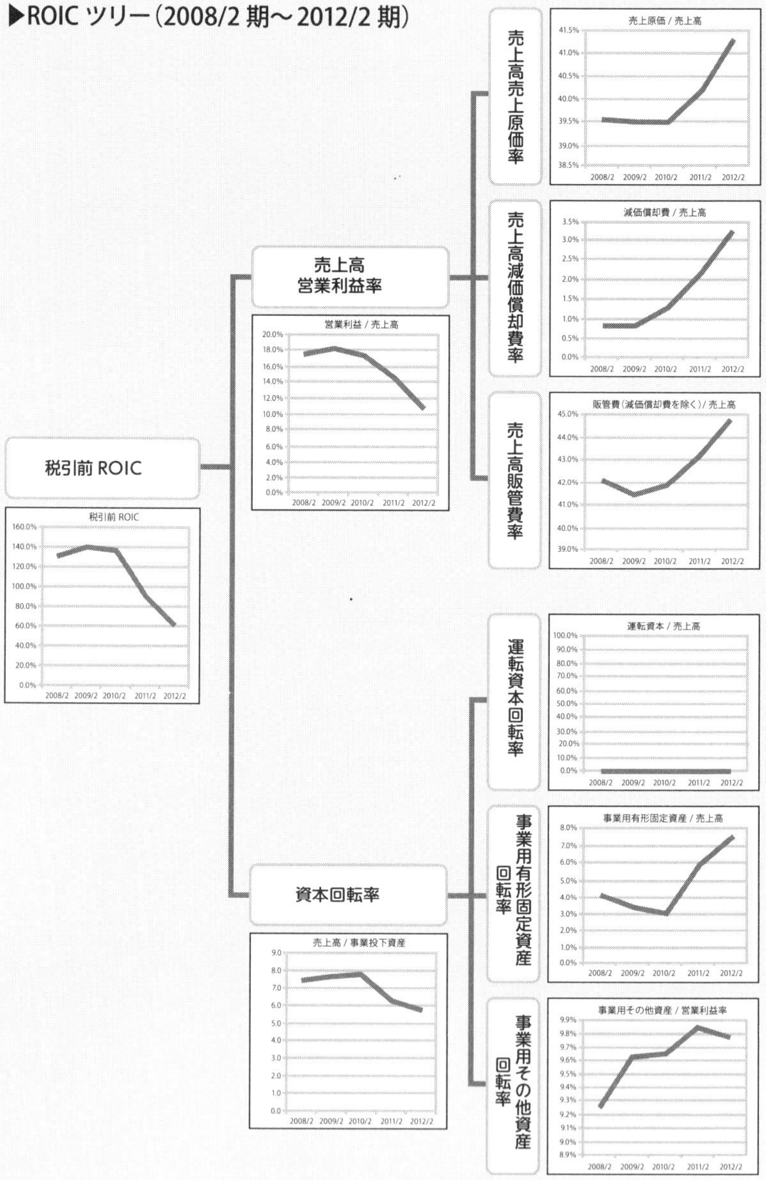

ROIC低下の内訳は、売上高営業利益率が6.8ポイント低下（2008年2月期：17.5%→2012年2月期：10.7%）し、資本回転率も1.7ポイント低下（2008年2月期：7.5→2012年2月期：5.8）していることによります。

ポイントの売上高営業利益率の内訳をみると、売上高売上原価率、売上高減価償却費率、売上高販管費率のいずれもが上昇しており、ユナイテッドアローズが収益性の改善に成功しているのと対照的です。また、資本回転率については、事業用有形固定資産回転率と事業用その他資産回転率が低下しており、資産が売上を生み出す生産性が弱まっています。ただし、運転資本回転率は一貫して0%であり、実質的に運転資本を不要とする強みは堅持されています。

【3社間の比較】

図表3-50では、ユナイテッドアローズ、ファーストリテイリング、ポイントの3社について、直近5期間におけるROICとその内訳である収益性指標（売上高売上原価率、売上高減価償却費率、売上高販管費率）と生産性指標（運転資本回転率、事業用有形固定資産回転率、事業用その他資産回転率）を比較しています。

大切なことは、自社の経営課題がどこにあるのかを明らかにし、ベンチマークする上場企業と実際に比較してみることです。繰り返しになりますが、その際、中小オーナー企業だから上場企業の水準に比べて悪くて当然と考えてはいけません。むしろ、規模で劣る中小オーナー企業は、収益性と生産性の点では、規模の大きな上場企業を凌ぐ水準を追求する必要があります。

（なお、本PARTで登場したROICの細かい計算を行なうには財務諸表の組み替えが必要となります。簡易的に計算するだけならバランスシートの数値をそのまま使う形でもかまいませんが、細かく計算したい場合は本書の専用サイトを参考にしてください。）

参考文献：『企業価値評価【実践編】』（鈴木一功）　ダイヤモンド社

3-50. アパレル業界 3 社比較

▶ROIC = 営業利益 / 売上高 × 売上高 / 事業投下資産

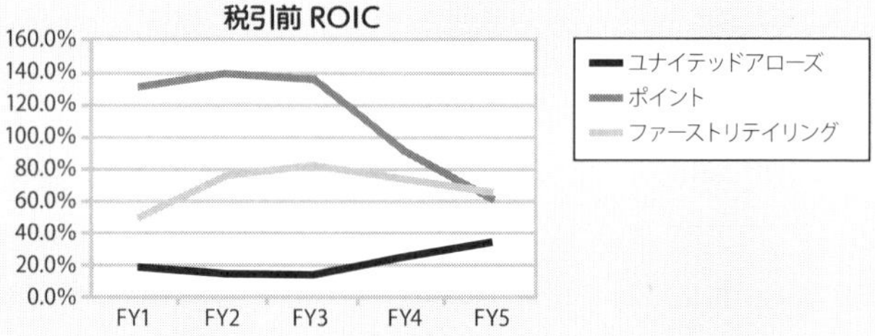

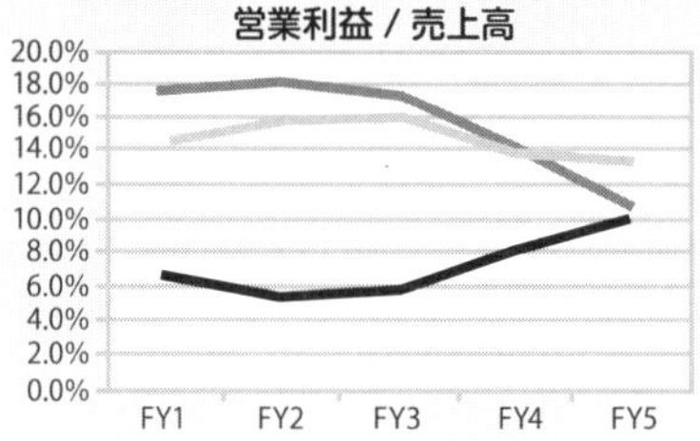

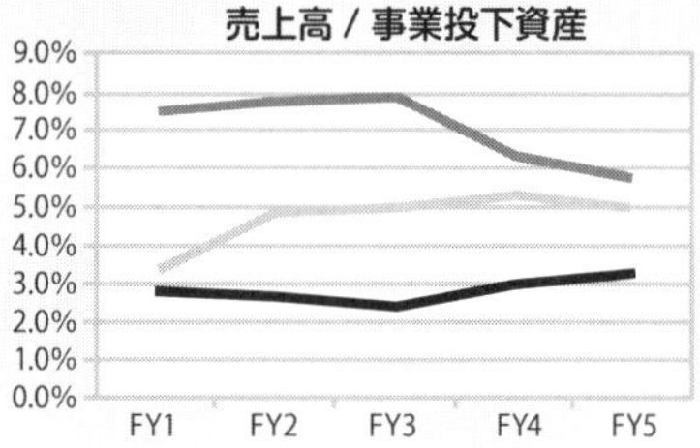

(注)FY=Fiscal Year(事業年度)

▶収益性指標

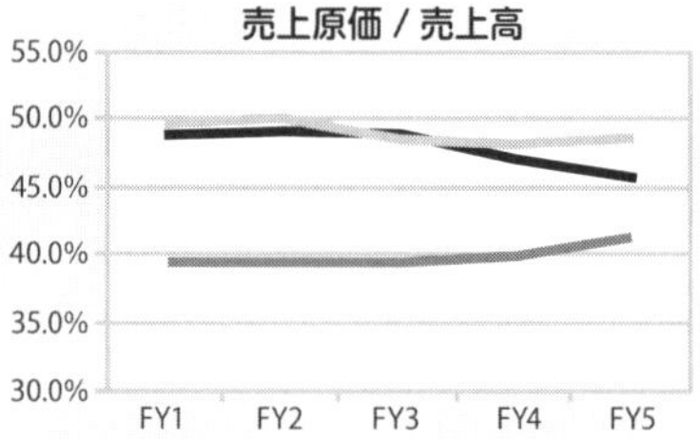

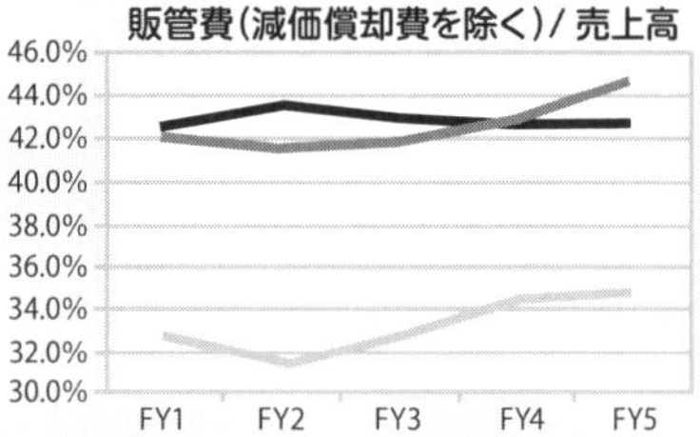

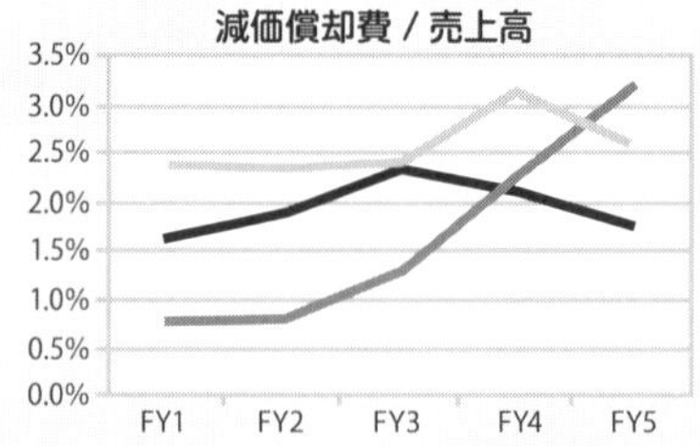

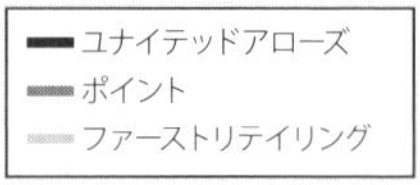

▶生産性指標

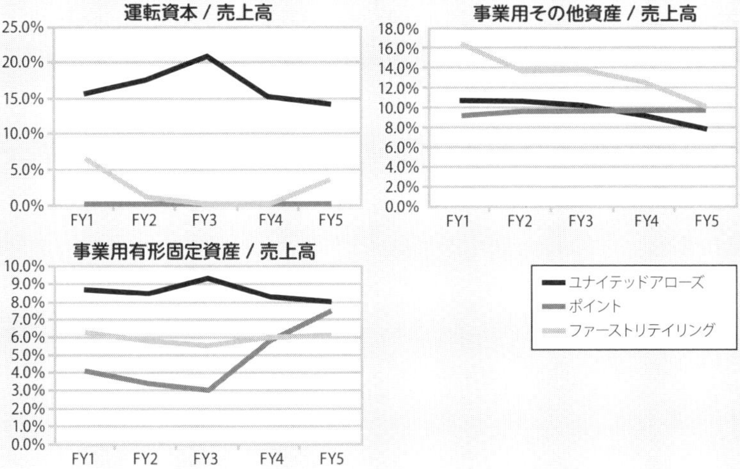

▶運転資本回転期間

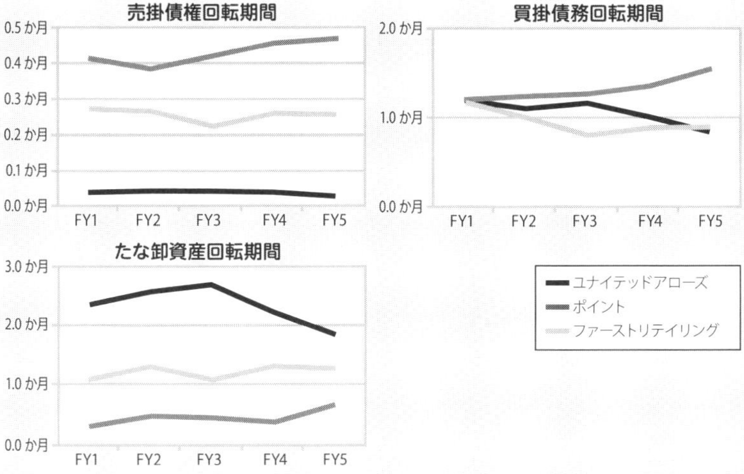

会計とファイナンスを分ける「現在価値」

Accounting
&
Corporate Finance

01 企業の成長に必要な投資

投資の判断はなぜ重要か

PART 3までで、財務会計情報をもとに自社の経営分析が可能なことが理解できたはずです。分析をしてより効率的な経営を目指して日々改善をするわけです。在庫管理や売掛金回収の早期化、買掛金の支払いサイトの調整（支払い期間を伸ばす）による運転資金の効率的な活用が重要であることを見てきました。また、利益率改善のために値上げをすべきかコストカットをすべきかなどを議論しました。それらは「今」すぐに取り組むことができる改善策であり、基本的には追加投資の必要のないものばかりです。

一方、売上を伸ばすためには投資が欠かせません。製造業が一番わかりやすいのでその例で考えますと、売上を伸ばすには売るモノの量を増やす必要があります（ただし前PARTまでで見たとおり、在庫を増やすだけにならないよう注意が必要です）。そのために新たに工場を建てることになります。あるいは、新商品の開発のために多額の研究開発費をかけるという局面もあるでしょう。そのような多額の投資をする決断は、企業にとっては最重要な経営判断のひとつです。というのは、その経営判断を誤ると企業の経営そのものが立ちいかなくなることすらあるからです。

2012年には、シャープが経営難に陥り、同社が発行している額面が100円の社債の価格が30円程度にまで下落してしまいました。パナソニックも格付機関から格下げを食らい、同社の社債は投資不適格寸前になりました（格付けについては後述します）。両社とも、多額の投資が収益に結びつかなかったことで経営を揺るがすほどになってしまいました。投資を行なうには、

4-1. 社債のしくみ

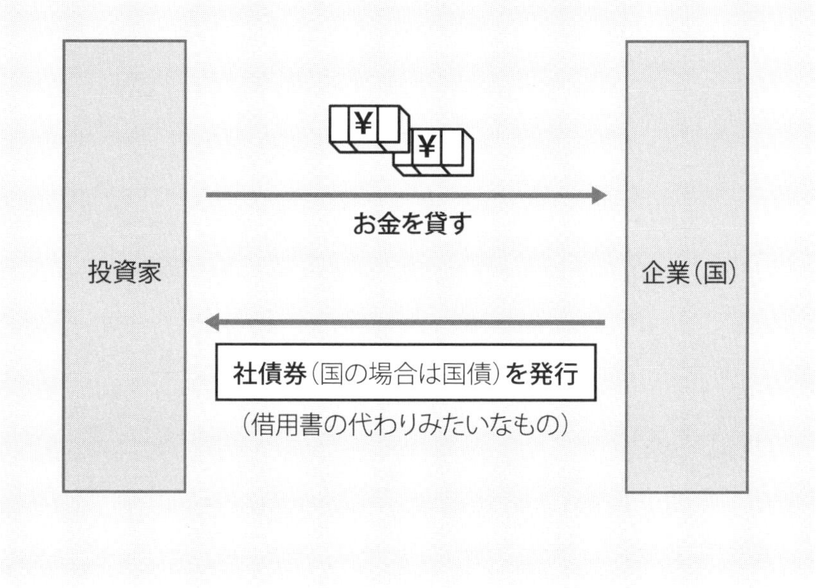

将来その投資から発生するであろう収益を予測し見極める必要があります。それに見合った金額で投資を実行しないといけません。

社債の基礎知識

社債については、これまで言葉のみは何度か登場しましたが、せっかくですのでここで簡単に紹介しておきますと、投資家が企業にお金を貸すときは社債を購入するという形式を取ります（表図 4-1)。

社債に似たもので、私たちに最も身近なものとしては国債があります。たとえば私たちが 100 円の国債を購入すると、それに対して毎年何%かのクーポン（利息と同じようなものと考えてください）を得て（100 円に対して 1 %のクーポンなら 1 円を毎年受け取る)、満期がくれば 100 円が戻ってくる

4-2. 社債の金銭受渡しのタイミング

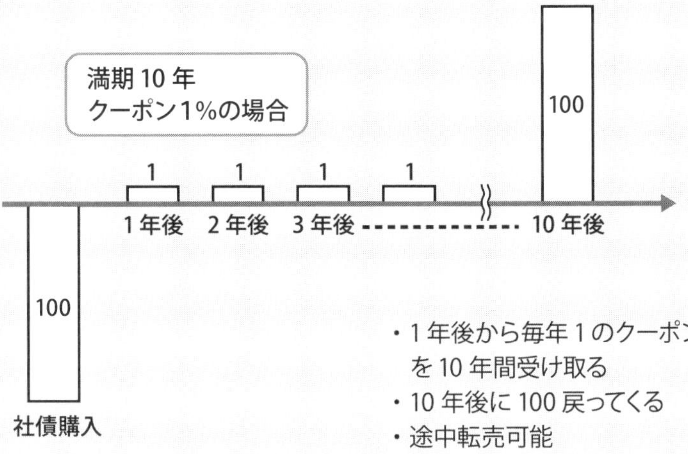

ことになります。これは、私たちが国に対して100円を貸し付けているのと同じことです。満期がくると国は私たちに100円を返します（図表4-2）。

社債の値段は格付けで変わる

通常、お金を貸すと返してもらうまでは金利を受け取るだけですが、社債や国債の特徴の1つは転売が可能だという点です。あなたがトヨタの社債を購入しトヨタにお金を貸していたとしましょう。100円分を購入し、満期5年、クーポン1%（1円）と仮定します。1年後、2年後とクーポンの1円を受け取っていましたが、3年目のある時、日産自動車が社債を発行したとします。こちらはクーポン2%とのこと。

あなたは、どうせ日本の自動車メーカーの社債を買うならクーポンがより高いほうがいいということで、トヨタの社債を売却し日産自動車の社債を購

4-3. トヨタと日産の社債を購入したとすると…

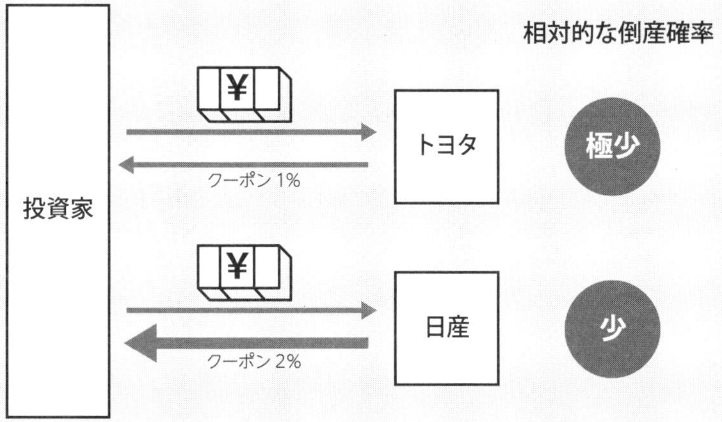

▶倒産確率の高い企業ほど、高いクーポンを支払う必要あり

(注)クーポンの数値は架空のものです。

入することにします。すると、3年目以降は日産のクーポンである2円を受け取るようになります。転売が可能なのでこういう取引が頻発するわけです。投資家はよりお買い得な商品を求めて転売を繰り返します。

さて、トヨタの社債を持っていた人の多くがあなたと同じようにトヨタの社債を売却し、日産自動車の社債に乗り換えていくとどうなるでしょうか？　売られるモノの値段は下がり、買われるモノの値段は上がる、これは商売の基本ですよね。ということは、トヨタの社債の値段が下がるわけです。当初は100円で売買されていたトヨタの社債が99.9円、99.8円と値下がりしていくわけです。たとえば99円まで値下がりしたとしましょう。売買価格が下がっても、満期には100円が戻ってくるというのが社債（または国債）の仕組みです。すなわち、99円で買った時点で、すでに1円の利益を獲得したのと同じことになります。もっとも、万が一企業（または国）が満期までに経営破綻してしまうと、満期に100円が戻ってこないリスクはいくらかは存在します。しかし、国内で市中に出回っていてわれわれが購入可能な社債や国債は倒産リスクが低いので、その1円の利益は高い確率で確定したものと考えていいでしょう。

99円まで値が下がると、以前よりもトヨタの社債に対する投資魅力が上がりますよね？　そうするとトヨタの社債の売買価格はどうなりますか？　下げ止まることが予想されます。

さて、ここでなぜトヨタのクーポンが1%で日産のクーポンが2%なんだ？　と疑問に思いませんか？　同じ自動車メーカーなんだからトヨタのクーポンが1%なら、日産もクーポン1%で社債を発行して資金調達をすればいいじゃないかと思いますよね？　そのほうが日産にとっても調達コストが安くていいはずです。

ただし、それらはトヨタと日産の倒産確率がまったく同じだと仮定した場合のお話です。社債購入者にとっての一番の心配事は満期にキチンと100円が返ってくるかということです。毎年受け取るクーポンも重要ですが、投資金額の大半は満期時に戻ってくるお金が占めますので、満期まで企業が倒産せずに健全でいることが最重要なのです。ゆえに、投資家は倒産確率の低い企業なら低いクーポンでも投資して社債を購入しますが、やや倒産確率が高い企業の場合には高いクーポンを要求することになります（図表4-3）。

トヨタと日産は、ともに倒産確率は極めて低い2社ですが、それでもトヨタのほうが日産よりも倒産確率は低くなっています。格付機関というものが存在し、各社の倒産確率を格付けという形でランキング付けしています。海外ではMoody's やS&P（Standard & Poor's）、国内ではR&I（格付投資情報センター）やJCR（日本格付研究所）などの格付機関が存在します。大体どこもAAA（トリプルA）が最上級（最も倒産確率が低く）、B、C格になると倒産確率が上がっていきます（図4-4）。

トヨタの格付けはAA+、日産はA（ともにR&Iによる2013年1月5日

4-4. 平均累積信用格付別デフォルト率

（単位：%）

	1年後	2年後	3年後	4年後	5年後	6年後	7年後	8年後	9年後	10年後
AAA	0.00	0.00	0.00	0.00	0.00	0.14	0.28	0.28	0.28	0.28
AA	0.00	0.00	0.00	0.00	0.04	0.09	0.13	0.28	0.44	0.61
A	0.06	0.17	0.30	0.46	0.62	0.77	1.00	1.27	1.51	1.74
BBB	0.12	0.34	0.55	0.78	1.09	1.41	1.71	1.94	2.23	2.50
BB	2.10	3.70	5.43	6.75	7.53	8.44	9.72	11.03	12.01	12.92
B以下	8.57	13.84	18.19	20.15	22.62	24.11	26.14	27.21	28.31	29.49
BBB以上	0.07	0.21	0.34	0.50	0.70	0.91	1.14	1.36	1.60	1.82
BB以下	3.27	5.54	7.75	9.19	10.28	11.30	12.72	13.98	14.99	15.94
全体	0.26	0.53	0.79	1.03	1.29	1.55	1.87	2.16	2.45	2.73

出所：R&I「信用格付とデフォルトの関係　デフォルト率・格付推移行列」（2012年7月12日）

現在の格付け）となっており、トヨタのほうが相対的な倒産確率は低いわけです。ゆえに、もしまったく同じタイミングで両社が社債を発行するならば、トヨタのほうがいい条件（低いクーポン）で発行できることになります。また、同じトヨタでも向こう3年間の倒産確率と5年間のそれとでは、後者のほうが高くなるでしょう。したがって、満期が長期の社債ほどクーポンは高くなります。

社債の値段はタイミングにも左右される

もう1つ社債の条件を決定する要因としては、発行のタイミングがあります。同じトヨタが社債を発行する場合でも、市中の金利が高い時期と低い時期では自ずと発行条件が異なります。今のように銀行預金の金利がほぼ0%という超低金利環境では、1%のクーポンがもらえる社債は魅力的に見えま

4-5. 社債の発行条件は市場環境によって異なる

▶銀行の預金金利が0%の場合と2%の場合

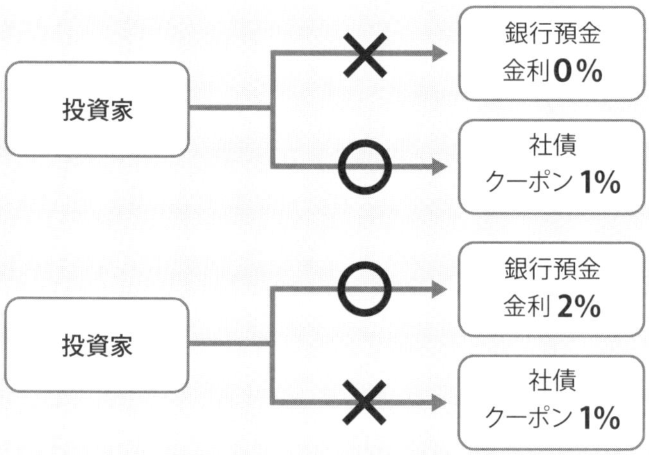

す。しかし、銀行預金の金利が2%だったらいかがでしょうか？　クーポン1%で社債を発行しても100人中100人は社債ではなく銀行預金を選択するでしょう。したがって、金利が高い局面ではクーポンも高くならざるを得ないのです（図表4-5）。

資金調達が難しくなったシャープとパナソニック

このように、社債の条件は企業の格付けや金利環境に左右されます。さて、シャープの例に戻りましょう。シャープの社債の市中での取引価格が30円ほどになったという話をしました。30円にまで値段が下がらないと買い手がつかないぐらいに、市場の投資家はシャープの先行きに不安を感じたわけです。30円で買った社債が、もし満期を迎えると100円戻ってきますので、満期を迎えるだけで投資リターンとしては3倍以上になります。このご時勢、

4-6. パナソニックとシャープの社債比較

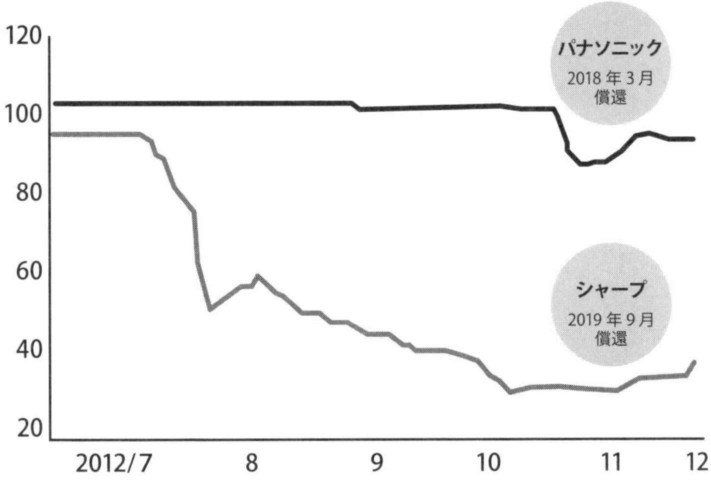

出所：「日経ヴェリタス」2012年12月9日号

投資資金が3倍以上になって戻ってくることは極めて稀ですので、それぐらいにシャープが経営破綻を回避できる可能性は低いと市場が見積もっていたことになります。このような、リスクは高いけれども高い投資リターンを得られる可能性がある債権はハイイールド（high yield）債と呼ばれます。日本ではハイイールド債を投資対象にしている投資家が極めて少なく、買い手が不在だったこともシャープ社債の価格低下に追い打ちをかけました。

パナソニックの社債も80円程度になりましたが、これも満期を迎えれば100円が戻ってきますので、投資リターンを逆算すると25％程度あったわけです。今、日本では消費者金融の金利が15～18％ですので、市場は消費者金融の顧客にお金を貸すよりもパナソニックにお金を貸すほうがリスクが高いと認識していたと言えます。

両社ともに非常に長い歴史とブランド力のある企業ですが、消費者金融以上にリスクの高い融資先（パナソニック）、あるいは、経営破綻は回避できない（シャープ）と見なされるにまでなってしまったわけです。なぜそんなことになってしまったのでしょうか？

両社ともプラズマディスプレイ、液晶パネル事業に対して社運をかけて投資をしたのですが、プラズマ、液晶ともに市場の値崩れが予測よりも圧倒的に早く、また両社ともディスプレイの大型化がどんどんと進んでいくと先読みしていたものが、実際の売れ筋商品は見込みとは違う形となってしまいました。結果、当初見込んでいた収益は得られず、両社が多額の資金をかけて新規設立したこれらの工場は大幅に減損せざるを得ず、損益面において大打撃を与えることとなりました（ちなみに減損とは、工場設備等の固定資産について、計画していた利益が上げられないと判断した時点で、帳簿上の価額を適正な評価額に切り下げ、評価損を計上する会計処理のことです)。

損失が発生するだけならまだしも、両社とも工場設立に多額の資金を投じていたため、ほかの事業の育成が後手に回っており、また、ほかに投資をしようにも資金力が大幅に低下してしまっていました。追加で資金を調達できればよいのですが、工場の減損により収益状況および財務内容が悪化してしまった後では、市場での両社の評価は低く、資金調達は容易ではありません。資金が調達できなければ業績は回復できない、業績が回復できないと資金は調達できないとネガティブスパイラルに陥ります。結果が先に紹介したような状況でした。

JINSは資金調達に成功した？

一方、投資と資金調達に成功した事例も挙げておきましょう。これまで見たように企業が資金調達をするには、銀行からの借入や社債の発行など利息を支払ってキャッシュを借りる手段と、株式を発行して増資をする手段の2つが存在します。後者は返済の必要がありませんが、企業は株価上昇や配当支払いで株主に報いる必要があります。返済の必要がありませんので、企業

4-7. JINSの株価の動き（週単位）

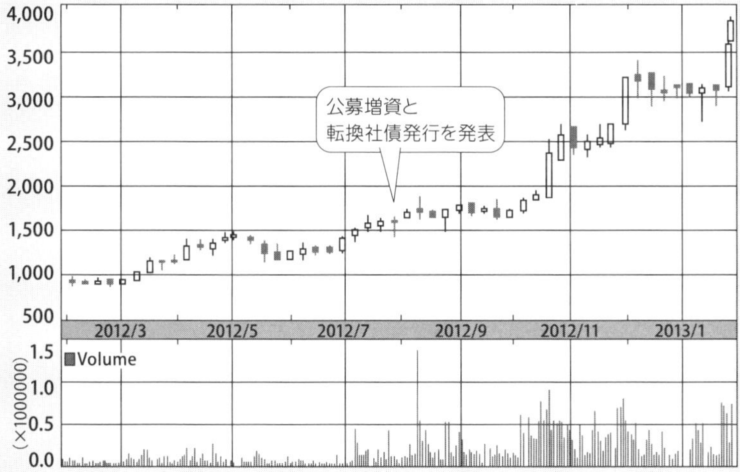

出所：Yahoo！ファイナンスより著者作成

にとっては中長期をにらんだ投資資金として使いやすいのが増資によって調達したキャッシュということになります。

2012年に行なわれた増資案件のうち、「日経ヴェリタス」が選んだベストエクイティファイナンス案件（公募増資など株式の発行による資金調達案件）がメガネのJINSによるものでした。メガネ市場は一時は3,000円、5,000円、7,000円などのワンプライスメガネがブームとなり、ワンプライスを展開するメガネ企業の業績が絶好調になった時期がありましたが、ブームが去るとそれら企業はどこも業績が悪化しました。JINSもその1社でしたが、近年ではパソコンのモニターが発するブルーライトをカットするメガネを開発、販売したことで業績は大幅に回復しました。店頭は客が絶えず、店舗網の拡大が必要となり、同社は増資（株式の発行）によって資金調達をすることにしました。成長投資のための資金調達を市場は好感して、増資後の同社の株価はその後も右肩上がりとなっています（2013年1月7日現在）。

実際に同社を成功事例と呼ぶにはまだ早く、資金をもとに投資を行ない、さらに収益が向上したことが確認できてから初めて成功だったと言えるわけです。今後もし、シャープやパナソニックのように新工場が見込み通りの収益に貢献せず、投資資金がムダになってしまう場合は、両社と同じような憂き目にあう可能性もゼロではありません。

さて、投資金額はどのように決めるべきでしょうか？　その投資が将来生み出す収益（キャッシュフロー）をもとに決定すべきですよね？　社内のプロジェクトチームに新たに設立する工場が今後毎年生み出す収益（キャッシュフロー）をはじいてもらったところ、毎年10億円を生み出すとの予測が出たとします。ここまではなんとなくできそうですよね？　毎年売れるであろう商品の個数と販売価格を掛け合わせて、そこからコストを差し引くことで予測は立てられます。では、毎年10億円のキャッシュフローを生み出す工場の建設資金として、いくらまで投資してよいのでしょうか？　20億円？　50億円？　100億円？

あなたはきっと困ってしまうことだと思います。もう一歩進んで考えてみます。毎年10億円のキャッシュフローを向こう10年間にわたって生み出す工場の場合と（すなわち、10年間の合計キャッシュフローは100億円）、来年すぐに100億円のキャッシュフローを生み出すものの、2年後以降はまったくキャッシュフローを生み出さない工場（同じく合計キャッシュフローは100億円）とを比べた場合、同じだけの建設資金をかけていいのでしょうか？

これからこのPARTでは、あなたがこれらの計算を行なえるような知識とスキルを提供していきます。まずは、投資金額を算出するうえで欠かせない現在価値について話をしていくことにします。

02 「現在価値」を学ぶためのワークショップ

現在価値の話は、ファイナンスを学ぶうえでは避けて通れないものであり、また基本となるものですが、理解に苦しんで、ここでファイナンスの習得をやめてしまう人も少なくありません。そこで、ここでは小難しい説明ではなく、まずはゲームで体感していただきます。

以下では、小樽商科大学の学部生3年生と4年生が受講する「財務管理論」、という授業で実際に行なったゲームをもとに解説をしていきます。ほかのファイナンスの本とは異なる、一風変わった説明の仕方になりますが、読者の皆さんにも、ゲームに参加した学部生と同じように、「現在価値が腑に落ちる」感覚を経験していただきたいと思います。

今の100万円と来年の100万円、価値が高いのはどっち？

それぞれの授業において、受講生に対して以下のような質問をします。

【ワーク1】
あなたは以下のどちらを好みますか？
プランA：今すぐに100万円もらえる
プランB：1年後に100万円もらえる

時間を5分ほどとってグループで議論してもらいますが、すべてのグループでプランAを選びました。その理由としては、
「金額が同じならば、今すぐにほしい」

「今すぐにもらって何かに投資をしてお金を増やす」
「今すぐにもらって銀行に預金すれば利息が付くので1年後には100万円よりも大きな金額になっている」

というようなものが出てきました。おそらく読者の皆さんも同じようなことを考えたことでしょう。答えのわかりきった設問だったかとは思いますが、ここにはファイナンスを学ぶうえで最も重要な概念が含まれています。そして、受講生たちは直感的にそれをすでに理解しています。それは何かというと、同じ金額ならば、**「今のお金は、将来のお金よりも価値が高い」**ということです。今の100万円のほうが1年後の100万円よりも価値が高いのです。投資をする、銀行に預金をするなどで増やすことができるからです。では、次のワークに移ります。

【ワーク2】
今すぐに100万円をもらえる権利は、1年後にいくらもらえる権利と同等ですか？（1年後にいくらもらえることが確約されれば、今すぐに100万円をもらう権利を放棄してもいいですか？）

さあ、どうでしょう？　図表4-8が、学部生の3年生と4年生の全20グループから出てきた答えでした。

まだファイナンス的発想や知識がほとんどない学部生ですので、ほぼ直感的に答えていると考えていいでしょう。もっともグループワークですので、知恵のついた声の大きな学生に左右された回答だとは思われます。しかし、中央値が20％のリターンという結果からは、われわれは直感的にはその程度のリターンを1年間でほしいと思っているということではないでしょうか。

この結果をファイナンスの文脈で解釈してみます。「想定運用手法」「どんな投資家？」というのは保田が勝手に推測して書き加えたものです。リスクをどれだけ好むかによって、求めるリターンは異なってきます。この20グ

4-8. ワーク２への回答

グループ	回答	求めるリターン	想定運用手法		どんな投資家？
7	101 万円	1%	預金、国債		社債投資家 または銀行
9	102 万円	2%	預金、国債		
1	105 万円	5%	預金、国債		
2	105 万円	5%	預金、国債		
19	110 万円	10%	株式		株式投資家
11	115 万円	15%	株式		
4	120 万円	20%	株式		
8	120 万円	20%	株式		
10	120 万円	20%	株式		
12	120 万円	20%	株式		
15	120 万円	20%	株式		
17	130 万円	30%	株式		
6	150 万円	50%	ハイリスク株式		ハイリスクハイリターン が好きな株式投資家
13	150 万円	50%	ハイリスク株式		
16	150 万円	50%	ハイリスク株式		
20	180 万円	80%	ギャンブラー		炎のギャンブラー
18	200 万円	100%	ギャンブラー		
14	250 万円	150%	ギャンブラー		
3	300 万円	200%	ギャンブラー		
5	500 万円	400%	ギャンブラー		
平均	162.4 万円				
中央値	120 万円				

ループの回答結果は、それぞれのグループで声の大きかった受講生のリスク選好度合いを反映していると考えられます。

なお、受講生から１つ興味深い指摘がありました。それは、ワーク２の設問の「今すぐに100万円をもらえる権利は、１年後にいくらもらえる権利と同等ですか？」と、カッコ内の「1年後にいくらがもらえることが確約されれば、今すぐに100万円をもらう権利を放棄してもいいですか？」では、聞いている内容は似ているが同じではないと言うのです。本人曰く、放棄するほうがイヤだ、抵抗感がある、だからこの聞き方のほうが金額は大きくなる、と言うのです。

これにはびっくりしました。というのは、これはプロスペクト理論というもので、行動経済学や行動ファイナンスの世界の話になりますが、100円をもらったときと100円を失ったとき、そのうれしさと悲しさの絶対値は同じではないことが知られています（図表4-9）。

4-9. プロスペクト理論

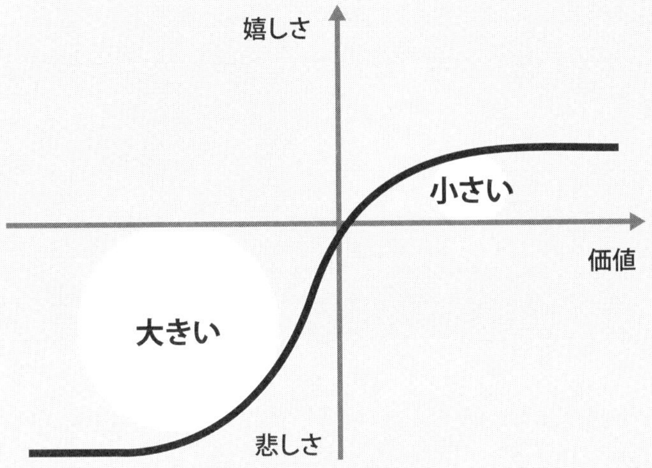

人の効用（うれしさ）は、対照ではないのです。これは、スーパーにエコバッグを持って行く人が増えたことでも有名です。当初はエコバッグを持ってきた人に対して２円なり３円なりの値引きをすることでスーパーはエコバッグの普及を図っていました。客にとってはエコバッグを持ってくることがお得だったのです。しかし、このステージではさほどエコバッグの普及は進みません。その後多くのスーパーで、エコバッグを持ってこなかった客には、レジ袋を２円なり３円で売ることにしました。客にとっては追加負担（損失）です。そうすると一挙にエコバッグの普及が進んだと言われています。これも図表4-9のプロスペクト理論で説明することができます。

われわれは得よりも損を大いに嫌う傾向にあるわけです。したがって、もらえる、という表現と、放棄するという表現は、金額が同じでも感覚は全然違うんだ、という学部生の指摘は、まさにその通りで、完全にこちらの設問ミスでした。今回の受講生の回答結果は、一部は放棄という言葉につられた

4-10. ワーク3への回答

グループ	回答	グループ	回答
1	100万円	11	250万円
2	300万円	12	200万円
3	300万円	13	400万円
4	200万円	14	200万円
5	200万円	15	400万円
6	200万円	16	400万円
7	300万円	17	450万円
8	250万円	18	100万円
9	350万円	19	100万円
10	499万円	20	325万円
		平均	276.2万円
		中央値	275万円

可能性があることをお含みおきいただければと思います。なお、金融やファイナンスの分野は、理論ばかりを先に教えるのではなく、まずは体感してもらうことの重要性をこのワークショップで再認識した次第です。

さて、話を元に戻して、次のワークです。

【ワーク3】
今後5年間、毎年100万円が出る、打ち出の小槌があったとします。
あなたは、いくらならこの打ち出の小槌を買ってもいいと思いますか？

結果は図表4-10の通りです。受講生は皆、この価値としては500万円以下を設定してきており、中央値としては275万円です。

ワーク2とワーク3を連続してやってもらってから解説を加えました。まず、2010年当時の金利はほぼゼロであること、日本の株式市場のリターンは歴史的には平均すると金利プラス5%程度であるということ。これをマーケットリスクプレミアムと呼びますが、株式投資で得られる平均的なリターンは10年国債の金利に5%程度上乗せした程度であるということを知ると、学生たちは「へ〜、意外と少ないんだな」という理解をしたようでした。

これらの解説を加えた後に、再度ワーク2とワーク3をやってもらいました。その結果、ワーク2では、多くのグループで答えが101万円や102万円になりました。銀行預金より少しは多くもらいたい、でも、マーケットリスクプレミアムほどには欲張れないという解答です。そして、株式で運用をするというチームでも110万円程度の比較的現実的な答えに修正されました。

そしてワーク3では、1回目は中央値は275万円でしたが、2回目は440万円となりました。

これら3つのワークを通じて、受講生たちは以下のことを体得します。

1、現在のお金の価値は、将来の同額のお金の価値より高い

2、リスクが高いものほど、現在価値と将来価値の乖離が大きくなる

この2つの点は、現在価値の概念を理解するうえで極めて重要です。次は、現在価値の算出に必要なスキルを見ていきます。

03 現在価値の計算

お金にも子供や孫がいる

さて、少しずつ核心に迫っていきましょう。またワークからです。

今500万円持っているとします。その500万円を銀行に預けると5年後にはいくらになりますか？　預金の利息金利は1%とします。

学生たちは525万円と答えてきます。500万円に対して1%の金利が付くので5万円が毎年入ってきます。これが5年間ありますので、5万円×5年間で合計25万円の利息が付いて、525万円。ここまでは誰でもできますが、何割かの学生は鋭い指摘をしてきます。2012年の授業でも、

「その設問の答えは単利か複利かで答えは変わる」

「銀行の預金金利は複利計算だからもっと大きな金額になる」

という声が上がってきました。

複利計算は、現在価値の算出ができるようになるために理解が必要な概念です。図表4-11をご覧ください。

毎年受け取る利息に対して、翌年以降それに対しても利息が付くことがご理解いただけると思います。通常の利息を「子利息」、利息の利息を「孫利息」と呼ぶこともあります。

複利計算がわかれば現在価値は計算できる

さて、ここまでが理解できるようになると現在価値の計算もできるようになります。次の設問にチャレンジしてみてください。

4-11. 複利計算のイメージ

今 500 万円持っています。金利 1%で 5 年間銀行に預けると 5 年後いくらになる?

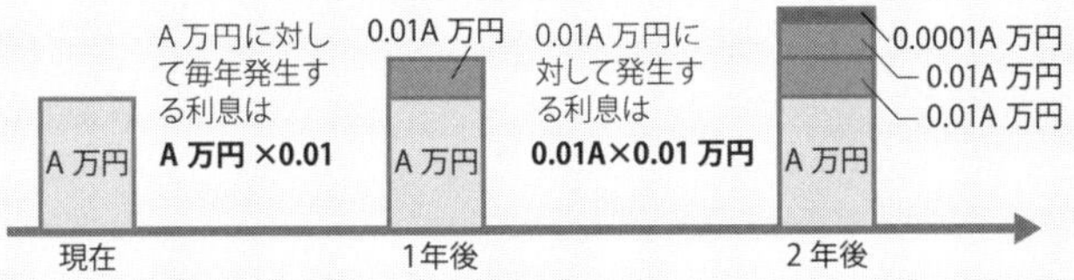

5 年後には合計 525 万 5,050 円になる　500×(1.01)^5

複利計算の考え方

(円)

金利1%			1 年後	2 年後	3 年後	4 年後	5 年後
最初に預ける	5,000,000	円に対して発生する利息	50,000	50,000	50,000	50,000	50,000
1年後に受け取る	50,000	円に対して発生する利息		500	500	500	500
2年後に受け取る	50,000	円に対して発生する利息			500	500	500
3年後に受け取る	50,000	円に対して発生する利息				500	500
4年後に受け取る	50,000	円に対して発生する利息					500
2年後に受け取る	500	円に対して発生する利息			5	5	5
3年後に受け取る	500	円に対して発生する利息				5	5
4年後に受け取る	500	円に対して発生する利息					5
3年後に受け取る	500	円に対して発生する利息				5	5
4年後に受け取る	500	円に対して発生する利息					5
4年後に受け取る	500	円に対して発生する利息					5
3年後に受け取る	5	円に対して発生する利息				0.05	0.05
4年後に受け取る	5	円に対して発生する利息					0.05
4年後に受け取る	5	円に対して発生する利息					0.05
4年後に受け取る	5	円に対して発生する利息					0.05
4年後に受け取る	0.05	円に対して発生する利息					0.00005
		合計	50,000	50,500	51,005	51,515	52,030
							＋5,000,000
							＝5,255,050

【設問】
金利1%の銀行に預金をするとします。今、いくらを預金すれば5年後に500万円になっていますか？　また、4年後に500万円にしたい場合は、今、いくらを預金すればいいでしょうか？

答えはそれぞれ、475万7,328円［$500 \div (1+0.01)^5$］、480万4,902円［$500 \div (1+0.01)^4$］となりますよね。何割かの学生はここで「あれ、なんで？」となりますが、先ほどと逆のことをすればいいだけです。求めたい答えをy、zとおくと、それぞれ

$y \times 1.01^5 = 500$

$z \times 1.01^4 = 500$

を解くことで求めることが可能です。この流れで、以下の設問に答えてみましょう。

【設問】
向こう5年間、毎年確実に500万円がもらえる打ち出の小槌があったとします。これの現在の価値はいくらでしょうか？　ただし、銀行金利は1%とします（図表4-12）。

これはもうおおわかりのことだと思います。上で5年後に500万円になる金額、4年後に500万円になる金額を求めましたが、3年後、2年後、1年後のものについても同様に計算して合算すればいいわけです。図解するほうがわかりやすいかもしれません。図表4-13をご覧ください。

現在価値はこのようにして求めることが可能です。これは、将来受け取る金額が確実に受け取れるという条件のもと、金利が1%だったら、という設定でのものです。この現在価値を算出するときに使った1%を割引率と言います。実務ではこの割引率をいくらに設定するかが重要となります。

4-12. 現在価値の概念①

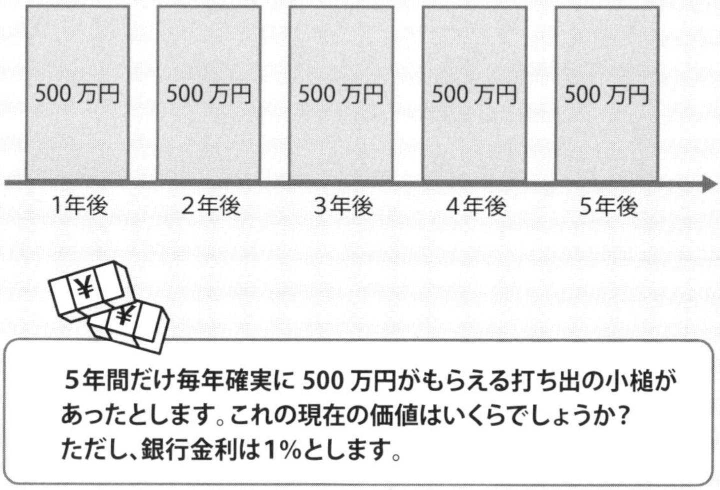

500万円
500万円
500万円
500万円
500万円
1年後
2年後
3年後
4年後
5年後
¥
¥
5年間だけ毎年確実に500万円がもらえる打ち出の小槌があったとします。これの現在の価値はいくらでしょうか？
ただし、銀行金利は1%とします。

4-13. 現在価値の概念②

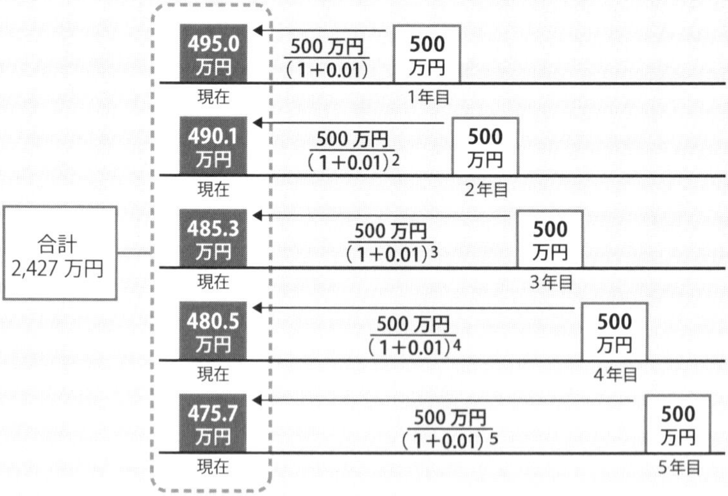

495.0万円
500万円 / (1+0.01)
500万円
現在
1年目
490.1万円
500万円 / (1+0.01)²
500万円
現在
2年目
485.3万円
500万円 / (1+0.01)³
500万円
現在
3年目
480.5万円
500万円 / (1+0.01)⁴
500万円
現在
4年目
475.7万円
500万円 / (1+0.01)⁵
500万円
現在
5年目
合計
2,427万円

04 不確実性（リスク）と割引率を仮想株式市場ゲームを通じて観察する

前項で見た、打ち出の小槌の事例は、将来必ず受け取ることのできるお金、すなわち、銀行預金についてのお話でした。では、将来受け取れるかどうかが確実ではない、あるいは、将来受け取れる金額に振れ幅がある（当たったら100万円、外れたら0円という宝くじのケースや、利益が80万円～120万円の間のどこかに落ち着きそうという企業の場合など）はどう考えればいいでしょうか？　つまり、リスクが存在するケースです。

リスクに対して投資家はどう行動をとるのかを体験してもらうために、先ほどと同様、小樽商科大学の学部生向け授業で実施した仮想株式市場ゲームの内容を紹介します。そして、リスクの定量化について考えてみます。

ゲームのセッティングは以下の通りです。皆さんもゲームに参加したつもりでついてきてくださいね。

リスクを取る人、回避する人はどう動くか

【ゲーム1のセッティング】
ゲームに参加する各プレーヤーの手元には株券が2株と現金30ドルが渡されます。これが初期ポジションです。この2株と30ドルをもとにプレーヤーは株式の売買を行ないます。現実世界では、株式を手に入れるにはいくらかのお金を払って取得しますが、今回はゲームということでプレーヤーたちは最初からタダで2株と30ドルが与えられたものとします（実際のゲームでは、トランプを株券に見立てて、お金はおもち

ゃのお金を用いました)。

4-14. ゲーム1の取引結果

株価	売買された株数
6ドル	1
7ドル	6
8ドル	7
9ドル	10
10ドル	16
11ドル	3

では、最初のゲームです。株価はコイントスによって決まるとします。表が出れば15ドル、裏が出れば5ドルです。コイントスを行なう前に、5分間取引の時間を設けますので、自由に取引をしてもらいます。コイントスが終わった段階で一番多くの資産（株券は現金に換算する）を持っている人が勝ちです。では、取引開始！

受講生たちはいっせいに教室中を歩き回り、取引相手を探し求めます。売る人、買う人さまざまです。約45名の履修者がいた学部の授業では43株が取引されました。取引された価格と取引枚数は図表4-14の通りです。

さあ、コイントスの結果ですが……。「裏」でした。受講生には1株を5ドル換算で所持金合計額を計算してもらいました。優勝者は53ドルの資産を持っていた学生でした。2株を11ドルで売っても合計で52ドルにしかならないので、この学生は何回か売買を繰り返して53ドルを実現したそうです。ルーザー（一番資産額が低かった学生）は25ドルでした。おそらく持ち金すべてを使って3株を購入し、合計5株が結果として25ドルになったのでしょう。ただ、ここで学習上重要なのは、勝ち負けではありません。リスクについて学習することです。

まず、このゲームの期待値はいくらですか？　10ドルですね（15ドルと5ドルが出る確率がそれぞれ50％なので、15ドル×50％+5ドル×50％で計算)。したがって、コイントスをする前の段階でプレーヤーにとっての株券の価値は10ドルだと言えます。

しかし、コイントスをすると、5ドルか15ドルになりますので、10ドルになることはまずありません。裏が出る可能性が高いと思う、裏が出たときに泣きを見たくない、あるいは自分の資産額を確定させたい（不確実性を排除したい）プレーヤーは株券を売却することを選択します。

一方で、表が出る可能性に賭けたいプレーヤー、夢見がちなプレーヤーは株券を買いに走ります。図表4-14の取引表から、平均取引価格を計算するとちょうど9ドルになります。これは、取引金額の合計を取引株数で割ることで算出可能です。なぜ期待値は10ドルなのに9ドルで売ってしまうのでしょうか？

答えは「リスクを回避するため」ですね。感覚的にはご理解いただけると思います。期待値は10ドルだけれども、5ドルになってしまうリスクを考えると、期待値より低い価格で構わないので、現金化したいわけです。リスク回避度合いの高い人ほど（リスクの嫌いな人ほど)、安い株価でもいいからとにかく売りたい、現金化したいという思いになります。6ドルや7ドルで株を売った人がこれに当てはまります。逆に言えば、期待値が10ドルのものをちょうど10ドルで売却できれば御の字と言えるでしょう。まして、11ドルで売却できたなら、大成功です。期待値の10ドルと、平均取引価格の9ドルを比べると10％のディスカウントということになり、これがリスクのお値段とも言えそうです（リスクの厳密な定量化に関しての詳細はほかのファイナンスの本に委ねるとして、ここでは感覚的にご理解ください）。

11ドルで買った人はどんな人でしょう。15ドルになる可能性が高いと判断した人、またはリスクテイクが好きな人などが該当するでしょう。ただ、期待値はあくまで10ドルですので、11ドルで買うことは合理的な行動とは言えません。今回のゲームはコイントスを1回行なうのみ、かつ、結果の上限と下限の金額は事前にわかっていたため、バブルが起きるようなことはありませんが、結果の上限がわかっていない場合や上限がない場合などは、合理的でない人の行動によってバブル的な状況が発生する可能性もあります。

ゲーム実施後、どういう状況であれば、もっとスムーズにたくさんの売買ができましたか？　という質問を出したところ、「セリみたいに一度に売り買いの情報が集まっていると楽だった」という意見が出ました。教室内ではいろんな人と相対《あいたい》で「いくらなら売る？（買う？）」とコミュニケーションをしたわけですが、それだと無駄が多いわけです。受講生のこの発言は、まさに株式市場の存在意義を説明しています。株式市場ではすべての取引情報が一堂に集まっています。投資家は取引相手を自分で探す必要がなく、市場にオーダーを出せば売買が成立するのです。また、「他でいくらの価格で売買が成立しているかがわかれば、よりスムーズに交渉できた」という意見も出てきました。この情報集約機能も株式市場では兼ね備えています。なお、情報が価格やリスクに与える影響については後でまた触れます。

ゲーム1に関して、受講生の感想や戦略は以下のとおりでした。

【ゲーム1の感想】

- 期待値を計算し、それ以上なら売り、それ以下なら買いという戦略を貫いた。
- 10ドルを目安としてとにかく株を買い占めた。どうせ自分のお金じゃないし、楽しんじゃえー！

- 標準偏差が小さかったので、リスク回避度の高いプレーヤーを探してとにかく株を買いに走った。

リスクをどう測定するか

では、ゲーム2に移ります。内容はゲーム1とほぼ同じですが、裏が出たら0ドル、表が出たら20ドルとします。同じく、取引時間は5分です。では、開始！結果は4-15のとおりでした。

前回同様、10ドルでたくさんの取引が成立しています。今回のゲームの期待値もやはり10ドルですので、それが大きく影響していることがわかります。そして、リスク回避度の高い人が10ドルより低い株価で売って、ギャンブル志向のある人が10ドルより高い値段で買ったわけです。

4-15. ゲーム2の取引結果

株価	売買された株数
7ドル	3
8ドル	3
9ドル	6
10ドル	14
11ドル	5
12ドル	2
13ドル	1

ゲーム１と比べて、どう取引戦略を変えたのか、参加者に聞いてみると、「ハイリスク・ハイリターンなので、ゲーム１よりも本気になって、現金主義に走った。株式は多少安くてもいいから全部売った。（リスクを回避したわけですか？　という私の質問に対して）ハイ、そうです」という声がありました。それに呼応するように、「ゲーム１のときよりも安く買えた」という人がいました。ハイリスク・ハイリターンな設定になるほど、投資家による戦略の違いが浮き彫りになるわけですね。

感覚的にはゲーム２のほうがハイリスク・ハイリターンであることは理解できますが、それはどうやって測定または数値化するのでしょうか？　受講生からは標準偏差、という言葉が出てきました。正解ですね。分散や標準偏差の計算は中学校あたりでやりましたよね？　あのときは何のためにこんなものを計算するのかと思っていましたが、実務では役立ちます。

（念のため確認しますと、標準偏差とは、データの平均値からのバラつき度合いを意味します。

過去１か月の平均株価がともに100円の２社があったとします。A社の株価は90円から110円の間を行ったり来たりしていた一方、B社は50円から150円の間を行ったり来たりしていたとします。ともに年間の平均株価は100円で同じですが、今後この２社のどちらかの株式を購入しようと思っている投資家にとっては、A社のほうがリスクが低いと判断するでしょう。それはバラツキが小さいからですね。そのバラツキ度合いを数値化したものが標準偏差です。中学校や高校で、分散を計算してから標準偏差を計算したことを覚えていますか？

ゲーム１とゲーム２それぞれの分散は以下のとおりです。各データの値と平均値の差を２乗して合計するんでしたよね。

ゲーム１：$(5 - 10)^2 + (15 - 10)^2 = 50$

ゲーム２：$(0 - 10)^2 + (20 - 10)^2 = 200$

それぞれの平方根を取ると（ルートですね）、標準偏差となります。この値が高いほうが結果のバラツキが大きい、つまり、リスクが高いわけです。リスクが高いので、ゲーム1よりも低い値段でも株式を売却したくなるのです。

したがって理論的には、平均取引価格は、ゲーム1よりもゲーム2のほうが低くなるはずです。しかし、今回ゲーム2の平均取引価格を計算してみると、9.74になりました。10は下回っているのですが、ゲーム1よりも高くなってしまいました。

なぜこういうことが起きたのでしょうか？　受講生にヒアリングしてみるとこんな意見が出てきました。

「ゲーム1では株を買えなくて悔しい思いをしたので、多少高くても株を買った」

「自分のお金ではないので、リスクを取りに行った」

「ゲーム1で裏が出たので、ゲーム2では表が出ると思ったので、買いに走った」

どれも非常に興味深い意見です。1つ目と2つ目のコメントは、ゲームなので現実世界とは異なる行動をとった（いつもよりギャンブル志向になった）ことを表しています。おそらく自分のポケットマネーでこのゲームに参加した場合は、きっと理論通りゲーム1よりもゲーム2のほうが平均取引価格は低くなったものと思われます。その意味では、次回以降本ゲームを実施するにおいては、より現実感を持たせる何らかの工夫が必要そうです。

なお、最後のコメントの、前回は裏だから次は表だろう、という発想はよくしがちですが、これも行動ファイナンス的な発想です。すべての事象が独立の場合は、表が出る確率も裏が出る確率も1/2です（実際、ゲーム2でも結果は裏になりました）。もしゲーム1で裏が出ていなければ、このプレーヤーはゲーム2ではさほどリスクテイカーとはならなかったと思われます。その意味では、われわれが株式投資をする際、直前の取引で勝ったか負けたかが次の取引に影響を及ぼしているだろうことがここから想像できます。冷静に投資をするということがいかに難しいか、わかりますね。

リスクは「価格」にどんな影響を与えるのか

さて、話を戻しますが、ゲーム1とゲーム2から何がわかったかと言いますと、リスクが高いほうがより割り引かれるということです。ゲーム結果はきれいには出ませんでしたが、ゲーム1での平均取引価格が期待値10に対しての10%ディスカウントの9であったならば、よりリスクの高いゲーム2の平均取引価格は9未満になったはずです。リスクが高いものはより割り引かれる、これは大原則ですので、よく頭に入れておいてください。

企業も同じです。本書ではこの後、企業価値の算出のために将来のキャッシュフローを現在価値に割り戻して企業価値を計算するDCF（Discounted Cash Flow法：割引現在価値算出法）の手法について説明していきますが、そこで用いる割引率の計算では、「リスクプレミアム」「ベータ」「CAPM」「無リスク資産の利子率」など、いくつか初めて聞く言葉が登場します。その中身は簡単で、リスクの高い企業の割引率は高くなる、ということです。

先ほどは向こう5年間、毎年500万円を生み出す打ち出の小槌に対して1%の割引率を設定して現在価値を算出しましたが、実際の企業の場合は、将来予測はあくまでも予測でしかなくて確実に受け取れる金額ではないので、銀行預金よりはリスクが高くなります。したがって、その割引率をもう少し高くするわけです。そして、企業間でもリスクの高い企業とリスクの低い企業では当然割引率が異なります。たとえば、図表4-16のように向こう5年間毎年の利益の期待値が20の2社AとBがあります。毎年の利益はコイントスで決まることにしましょう。

A社は電鉄会社であり収益の上ブレ、下ブレの可能性が低い企業、一方、B社はIT系の企業で収益のブレが大きいとします。A社は東京急行電鉄など、B社はかつてのソフトバンクやGMOインターネットあたりをイメージしていただければと思います。前者の場合、5年間の累計利益は最低でも19×5＝95を確保できますが、後者だと最悪のケースでは5年間の累計利益

4-16. A社とB社を比べてみると…

A社

	1年後	2年後	3年後	4年後	5年後
裏	19	19	19	19	19
表	21	21	21	21	21
期待値	20	20	20	20	20

B社

	1年後	2年後	3年後	4年後	5年後
裏	0	0	0	0	0
表	40	40	40	40	40
期待値	20	20	20	20	20

B社のほうがリスクが高い

はゼロです。したがって、後者のほうがリスクが高いので割引率は高くなるわけです。

感覚的にはスッとご理解いただけるかと思います。その感覚を数値化するには、先ほど登場した標準偏差を計算すればよいのです。感覚的にわかってしまえば、あとは理論を少し咀嚼するだけなので楽です。

なお、ゲーム2に関して、受講生の感想や戦略は以下のとおりでした。

【ゲーム2の感想】

- 標準偏差が大きかったので、現金化することを優先した。
- ゲーム1、2ともにどちらも10ドルで現金化できれば満足しました。（著者補足：これは上の文中で書きましたが平均取引価格が10ドルを下回ることを感覚的にわかっていたプレーヤーが10ドルで現金化

できるなら成功ということを理解していたということを示すコメントです）

- ゲーム１は期待値を計算し、その結果 10 ドル以下で売りと買いを繰り返していました。ゲーム２はゲーム１に比べリスクが大きかったので、自分の中で９ドルというボーダーを設定して、それに則って売り買いを繰り返しました。
- 11 ドルで売却できました。リスクを負ってでもリターンを求める人もいるんだなあと思いました。
- １ゲーム目と期待値は変わりませんでしたが、リスクが大きいことがひっかかり、できるだけ売ろうと考えました。

投資における「情報」の重要性

さて、続いてゲーム３に移ります。ここでは、先にも軽く登場した「情報」について実験します。その価値、あるいは、情報が投資行動や企業財務に与える影響について体感します。

ゲームのセッティングはゲーム１と同じです。株価は 15 ドルか 5 ドルのどちらかになるのですが、今度はコイントスではなくて、ニュースによって株価が決まるとします。そしてそのニュースはゲーム参加者の一部の人たちだけに知らされます。全員がニュースが書いてあるかもしれない紙を教員である私から渡されました。その中の一部の人たちの紙にはニュースが書いてあり、ほかの人たちの紙は白紙です。白紙の場合は、ニュースを知らないということになります。

さて、結果はどうなったかと言うと、取引量が減りました。ニュースを持っていない人たちは、ニュースはなんだということが気になってなかなか売買できないのです。また、高い値段で株式を買うプレーヤーもいなくなりました。情報のない株式はよりリスクが高いので、買えないし、そもそも売買もしにくいということになります。株式の売買数が減るとどうなるかと言うと、市場での株価に適正な値付けがなされない可能性が出ます。これは現実の世界でも同じで、上場している株式銘柄の中でも、情報量の乏しい中小企業、ベンチャー企業の株式は取引量が乏しくなります。取引量が少ないと流動性が欠如することとなり、株価には流動性ディスカウントが付されて理論的株価よりも低い株価で取引されることもあります。

このように投資家間で、または、企業と投資家との間で情報の非対称性が大きい場合は、それを解消してあげる必要があります。したがって、企業は積極的にIR（Investor Relations：投資家とのコミュニケーション）活動を行ない、自社に関する情報の流布に努めるわけです。

ゲーム3について、参加した受講生の感想などは以下のとおりでした。

【ゲーム3の感想】

- 情報がないことへの不安から、できるだけ株は売って現金化しようと考えました。
- ゲーム1~3を通じて思ったが、場当たり的に売買をするのではなく、自分の総資産のうち、何割程度をリスクにさらしてよいかを事前に考えるべきだった。（著者補足：ポートフォリオの重要性を体で感じ取ることができたのでしょう）
- ゲーム1~3を通じて、自分が投資においてはリスク回避度の高い人間なんだということに気付いた。
- 「みんな売ってるから“売り”」「人気だから“買い”」というように、バブルのような状況が現実に起こり得ると思いました。
- 情報の重要性がわかりました。情報を知らない立場は結構不安でした。
- 今回のゲームで感じたことは情報の大切さです。だから投資家は躍起になって情報を集めるのかなと思いました。情報に勝る武器はない、と今回のゲームで実感しました。
- 情報を知らないだけで、こんなにも動けないとは思いませんでした。買いにいくにも根拠がなくて大変でした。

情報量が乏しい場合、投資家はリスクが高いと判断しますので、割引率が高くなります。現在価値を算出する際、中小企業の場合は理論的に算出される割引率に加えて1%～2%程度割引率を上乗せすることがよくありますが、その理由のひとつが、この情報リスクを加味してのことです。単に「中小企業の場合は割引率に上乗せが必要」と聞くと、なぜ？　ということになりますが、ゲームを通じて体感すると納得できると思います。

では、次のPART以降では、割引率の実際の計算方法などを学んでいきましょう。

投資の意思決定の判断基準を学ぶ

Accounting
&
Corporate Finance

01 投資の意思決定の３要素

「価値観」「合理性」「感情」が投資を決める

企業は工場を建設したり別の会社を買収したりといった形で、さまざまな投資活動を行なっています。企業が行なう投資の意思決定には、実にいろいろな要素が影響を与えています。その代表的なものが「価値観」「合理性」「感情」の３つの要素といえるでしょう（図表5-1）。

第１の**「価値観」**は、経営理念や企業文化、行動指針、企業倫理など、組織内で共有されている原理原則、および倫理観や道徳的観念といったもので、これらはすべて企業の性格を形成します。このような企業の価値観は、「強い顧客志向」「革新的な製品を世に出すことが存在意義」「業界の常識を打ち破る」「何を差し置いても企業倫理を尊ぶ」などの姿勢となって現れることになります。企業のあらゆる意思決定は、この価値観に合致しているか否かという観点からなされています。

第２の**「合理性」**は、定量的な分析結果（数値）で評価を行なう考え方で、「どちらがより儲かるか」「このプロジェクトのリターンはいくらか」といった問いに対して明確な答えを出してくれます。数値で示された合理性のある評価基準は、誰が見ても明白で納得しやすく（逆に言うと、反論の余地がなく）、きわめて論理的という特徴があります。そのため、合理性という意思決定の基準は、「なあなあ」や「なんとなく」といった意思決定過程の曖昧さを排除し、組織内の合意形成を得るための最強のツールとなります。

企業活動での（経済）合理性とは、利益を生み、キャッシュを蓄積することです。代替案が２つあれば、キャッシュを多く生むほうを選択すべきです

5-1. 投資の意思決定に影響を与えている3つの要素

価値観（理念・企業文化）	合理性（定量評価・数値化）	感情（経験・勘）
企業の意思決定は価値観、すなわち、経営理念や倫理観などに根ざす会社の性格によって左右される。この価値観がしっかり確立していないと意思決定はブレがちになる。	数値化された客観的な意思決定基準を与えてくれるため、納得感が高く、論理的な結論が導かれる。	経験や勘、直感など、個人の内面に潜むクセによって、時として論理を無視した情に基づく結論を導く。そのため、組織内の納得が得られにくい。

し、投資をするときは投資額を上回るリターンを生む案件に投資して、生み出すキャッシュの最大化を目指すべき、という結論になります。

だからといって、合理性だけを突き詰めると、儲けるためには下請け企業をトコトン泣かせるほうがいいし、業績が苦しいときは従業員を片っ端からクビにしたほうがいい、ということになってしまいます。実際のところは、第1の価値観に属するコンプライアンスの精神や高い倫理観がそのような意思決定に歯止めをかけているわけです。

逆に、自動車メーカーが年間何百億円という巨額の資金を投じて利益を圧迫するモータースポーツの世界に参戦するという意思決定をしたことは、必ずしも経済合理性はないかもしれないけど、会社の求心力維持や優秀な技術者の確保を通じて長期的な技術競争力を向上させようとの価値観が働いていたものと考えられます。

第3の**「感情」**は、経験や勘、直感、好き嫌いなど、価値観や合理性では計ることのできない人間の本能やクセともいうべきものです。企業活動においては「情に流されてはいけない」とよく言われますが、企業活動を支えているのが人間である以上、感情を抱くことはある意味しかたのないことといえるかもしれません。

意思決定に影響を与える上記3つの要素のうち、ファイナンスの世界が扱うのはあくまで「合理性」です。「合理性」は簡単な計算によって数値化された結論を導き出します。ファイナンスの世界には、投資の意思決定を支援するための判断基準、いわば「定石」がありますので、それらをこれからご紹介していきましょう。

企業が投資するのは企業価値を向上させるため

投資の意思決定というのは、「目の前にある投資案件を実行してよいか否か」「複数用意された投資案件のうち、どの案件を実行すべきか」といった問いに対して適切な判断を下すことにほかなりません。このような問いに対して答えを出すには、投資の意思決定のための判断基準が必要です。

本書をここまで読み進んできた読者のみなさんは、企業が投資を行なう目的が何であるかはすでに想像がついているのではないでしょうか。そうです。ファイナンス戦略は企業価値の向上を目的とした経営戦略ですから、ファイナンス戦略の根幹をなす投資活動も当然に企業価値の向上を目的としています。

したがって、前述した合理性の判断基準も「企業価値が向上するかどうか」、つまり、「将来のキャッシュフローの現在価値をいかに増やせるか」で決められます。ここでは、企業が投資の意思決定をする際に用いる代表的な判断基準である「NPV法」と「IRR法」について説明します。

02 NPV（正味現在価値）法

NPV 法の考え方

いま、ある投資プロジェクトが社内で検討されているとしましょう。この投資プロジェクトを実行したときの投資額、および、向こう5年間の予想キャッシュフローは図表5-2のとおりだとします。現在、1,000の投資をしたら、1年目から5年目までの間に計1,250のキャッシュフローを獲得できるというプロジェクトです。さて、この投資プロジェクトは実行すべきでしょ

5-2. ある投資プロジェクトの予想キャッシュフロー

	現在	1年目	2年目	3年目	4年目	5年目
キャッシュフロー	**−1,000**	100	200	250	300	400

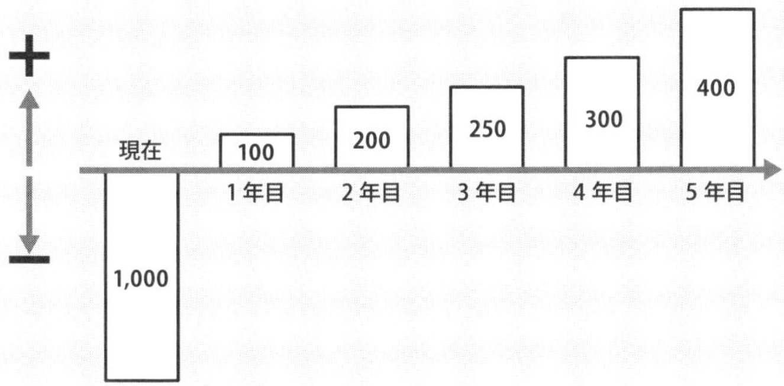

100＋200＋250＋300＋400－1,000=250
したがって、「250もトクするから、この投資を実行すべき」と結論づけてはいけない！

5-3. このプロジェクトのNPVは？

割引率を5%とすると

	現在	1年目	2年目	3年目	4年目	5年目
キャッシュフロー	**−1,000**	100	200	250	300	400
現在価値の計算	−	$100 \div 1.05$	$200 \div 1.05^2$	$250 \div 1.05^3$	$300 \div 1.05^4$	$400 \div 1.05^5$
現在価値(PV)	**−1,000**	95	181	216	247	313
NPV	53					

割引率を10%とすると

	現在	1年目	2年目	3年目	4年目	5年目
キャッシュフロー	**−1,000**	100	200	250	300	400
現在価値の計算	−	$100 \div 1.1$	$200 \div 1.1^2$	$250 \div 1.1^3$	$300 \div 1.1^4$	$400 \div 1.1^5$
現在価値(PV)	**−1,000**	91	165	188	205	248
NPV	**−103**					

うか？

「ほお！　1,000投資して1,250のリターンか。250もお得じゃない」と言って「このプロジェクトに投資すべき」と判断してはいけません。読者のみなさんは、すでにファイナンスの世界では時間の概念を勘案した現在価値で考えなければいけないことを理解しています。

初期の投資額を含めた将来のすべてのキャッシュフローの現在価値を**NPV**といいます。NPVは、「Net Present Value」の頭文字を取ったもので、直訳すると**「正味現在価値」**という意味になります。

では、このプロジェクトが生み出すキャッシュフローの現在価値を計算してみましょう。1年目から5年目までのキャッシュフローについては現在価値を割引計算しますが、初期投資額の▲1,000は現在のキャッシュアウトですから現在価値は▲1,000のままです。

5-4. NPV法の考え方

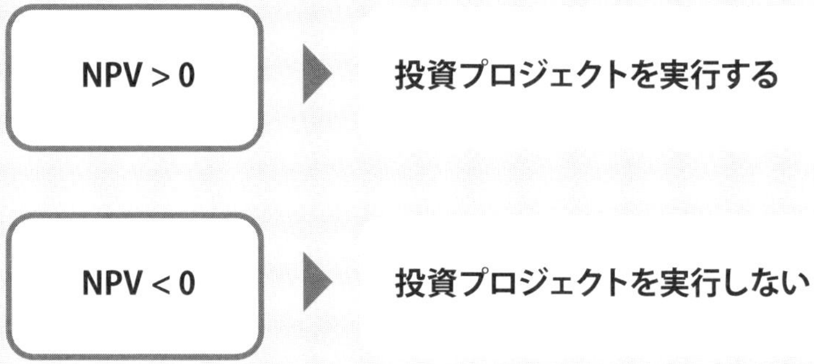

割引率5%で現在価値を計算するとNPVは53となります（図表5-3）。このことは、このプロジェクトに1,000の投資をすれば53の新たな事業価値が獲得できることを意味しています。したがって、この投資プロジェクトは実施すべきと判断されます。

一方、割引率10%で現在価値を計算するとNPVは▲103となります。このプロジェクトで1,000の投資をすることによって、事業価値が103のマイナスとなってしてしまうというわけです。当然、この投資プロジェクトは採択しないと結論づけられます。

つまり、投資の意思決定というのは、価値と価格の比較によって判断されているのです。私たちの日常生活においても、1,000円でランチを食べに行くという場合、1,000円以上の価値があると認めるから1,000円というお金（価格）を払うわけですね。まさか500円の価値しかないというランチに1,000円を支払う気前のいい人はいないわけです。いわゆる「コスパ」というやつですね。私たちは、意識的か無意識かはともかく、普段の買い物で瞬時にコストパフォーマンスを判定しているのです。

この投資プロジェクトの例でいえば、割引率5%の場合、1,000の価格で1,053の価値（53のNPV）をもたらしてくれます。

NPV法によれば、NPVがプラスになる投資を実行し、NPVがマイナスになる投資は実行しないと判断されることになります（図表5-4）。

NPVと企業価値

企業価値については、PART 6で詳しく触れますが、ここではNPVの考え方を使って簡単に予習しておくことにしましょう。

企業というのは、ひとつひとつの事業の集合体といえます。それらの事業の価値をすべて積み上げていくと、事業全体の価値、すなわち、事業価値と

5-5. NPVと企業価値

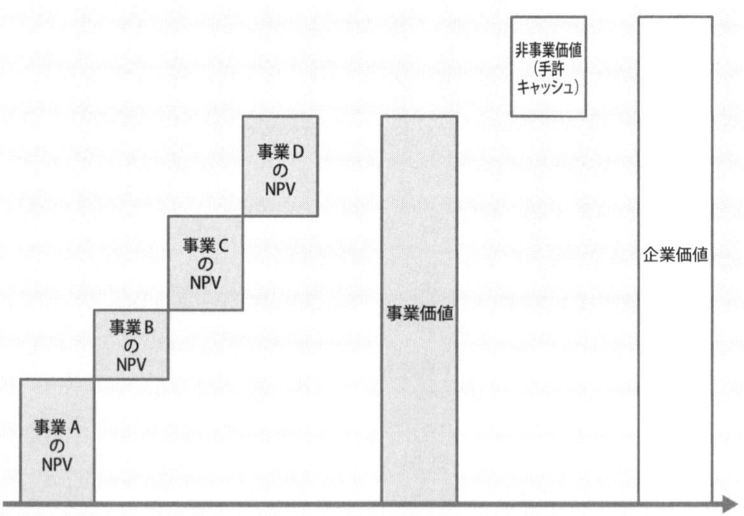

なるわけです。したがって、企業が抱える各事業のNPVのかたまり、それに手許に保有しているキャッシュ（非事業価値）を足し合わせたものこそ企業価値を構成するのです（図表5-5）。

（演習）新工場の建設を行なうべきか

ある企業が新たに工場を建設して新製品を製造販売することにしました。総投資額は21,000、設備の耐用年数は7年、税引前利益に対する実効税率は40%、将来キャッシュフローの割引率は5%であるとします（図表5-6）。

設備の減価償却については、残存価額をゼロとして毎期均等額を償却する定額法を採用しているものとします（つまり、毎年3,000の減価償却費が発生します）。各期の予想税引前利益は図表5-6に記載のとおりです。なお、この工場ではたな卸資産（在庫など）を保有することを想定しており、各期

5-6. 新工場建設の投資プロジェクト概要

投資額	21,000
耐用年数	7
実効税率	40.0%
割引率	5.0%

	1年目	2年目	3年目	4年目	5年目	6年目	7年目
予想税前利益	1,000	2,000	2,000	1,200	800	500	300
減価償却費	3,000	3,000	3,000	3,000	3,000	3,000	3,000
たな卸資産期末残高	1,000	2,000	2,500	2,000	1,500	1,000	0
設備売却益							5,000

5-7. キャッシュフローのブロック図

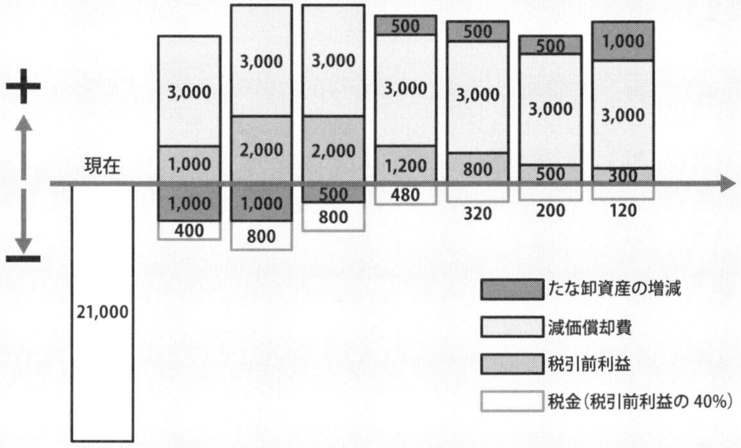

	現在	1 年目	2 年目	3 年目	4 年目	5 年目	6 年目	7 年目	
キャッシュフロー	▲21,000	2,600	3,200	3,700	4,220	3,980	3,800	4,180	
現在価値	▲21,000	2,476	2,902	3,196	3,472	3,118	2,836	2,971	⇒ NPV▲29

末におけるたな卸資産の残高についても図表 5-6 に記載のとおり明らかとなっています。たな卸資産の増減がキャッシュフローに与える影響については、PART 2 の解説を思い出してください。このような投資プロジェクトを実行すべきか否か、NPV 法によって判定してみてください。

【考え方】

予想キャッシュフローをブロック図で示すと、図表 5-7 のとおりになります。これをもとに NPV を求めると▲ 29 となります。そのため、この投資プロジェクトは「実行すべきでない」という結論が導かれます。

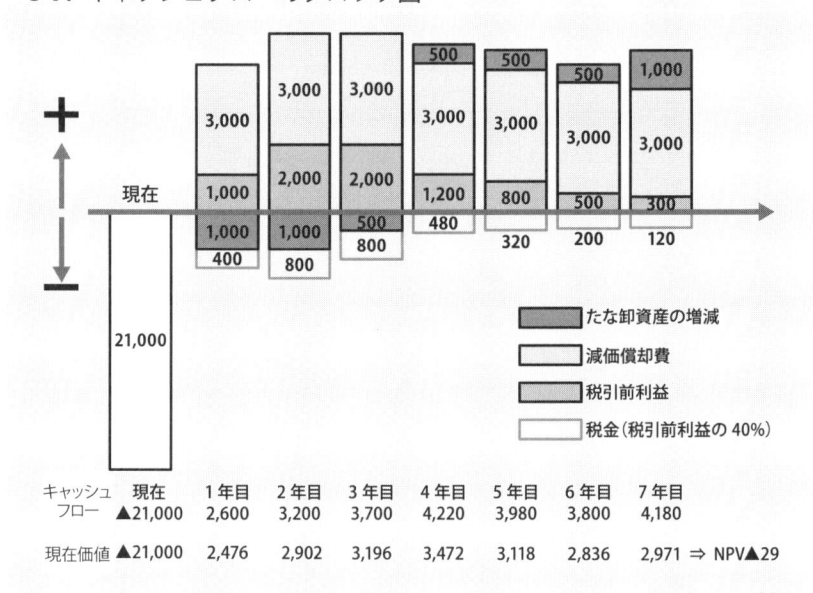

もし仮に、この投資プロジェクトについて、7 年後にオペレーションを終えたときに工場を閉鎖して設備を処分することによって 5,000 の売却益が出るものと仮定すると NPV はどうなるでしょうか？

残存価額ゼロの工場（もともとは 21,000 の価値があった工場ですが、7 年

5-8. 7年目のキャッシュフローのブロック図

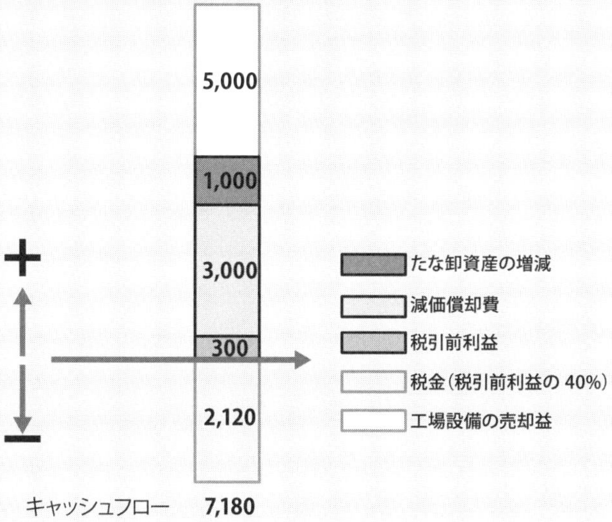

5-9. 投資プロジェクトのNPV

設備売却益がない場合

	現在	1年目	2年目	3年目	4年目	5年目	6年目	7年目
予想キャッシュフロー	**-21,000**	2,600	3,200	3,700	4,220	3,980	3,800	4,180
NPV	**-29**							

投資実行すべきでない

設備売却益がある場合

	現在	1年目	2年目	3年目	4年目	5年目	6年目	7年目
予想キャッシュフロー	**-21,000**	2,600	3,200	3,700	4,220	3,980	3,800	7,180
NPV	2,103							

投資実行すべき

間毎年減価償却をしたことで、7年後には財務諸表上では価値がゼロになっています）の設備を売却することにより5,000のキャッシュインフローとこれに係る税金2,000（＝5,000×40%）のキャッシュアウトフローが発生するため、7年目の予想キャッシュフローのブロック図は図表5-8となります。これをもとにNPVを計算すると2,103になりますので、「投資実行すべき」という結論が導かれます（図表5-9）。

03 IRR（内部収益率）法

IRRは投資プロジェクトの「期待利回り」

NPVの他にもう1つ、投資案件の可否を判断する方法に、IRR（内部収益率法）があります。

IRRとは、「Internal Rate of Return」の略であり、**「内部収益率」**と呼ばれています。これらの言葉を聞いてもいまいちピンとこないかもしれませんが、IRRとは要するに**「利回り」**のことを言っているにすぎません。ファイナンスの世界において、IRRは投資プロジェクトの「予測利回り」または「期待利回り」という意味で使われますので、「そういうものなんだ！」くらいの感覚で理解していただければ十分です。

簡単な例でIRRのイメージをつかんでみましょう。あなたは、いま証券会社の営業マンから、1,000を投資すれば1年後に1,100になって戻ってくる金融商品を紹介されたとします。この金融商品のIRRは何％になるでしょうか？　簡単ですね。元本の1,000に対して1年間の運用益が100ですから、この金融商品の運用利回り、つまり、IRRは10%ということになります。

ところで、IRR10%の金融商品を紹介されたものの、困ったことにあなたには手持ち資金がありません。そこに「1,000のキャッシュを貸すよ」と言う、あなたの友達が現れたとします。その友達は「利息は5%でいいから、元本と利息を合わせて1年後に返してね」と言いました。さて、あなたは、その友達から借金をして、この金融商品を購入するでしょうか？

合理的に考えれば、この金融商品に投資すべき、という結論になりますよね？　友達に利息を50（＝1,000×5%）支払ったとしても、投資の運用益

5-10. IRRとは？

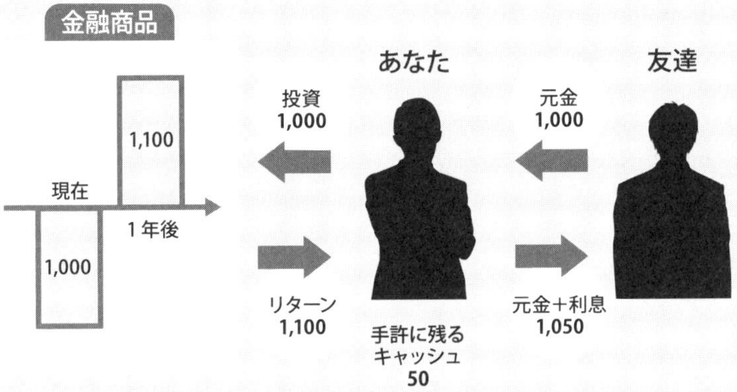

5-11. IRR法の考え方

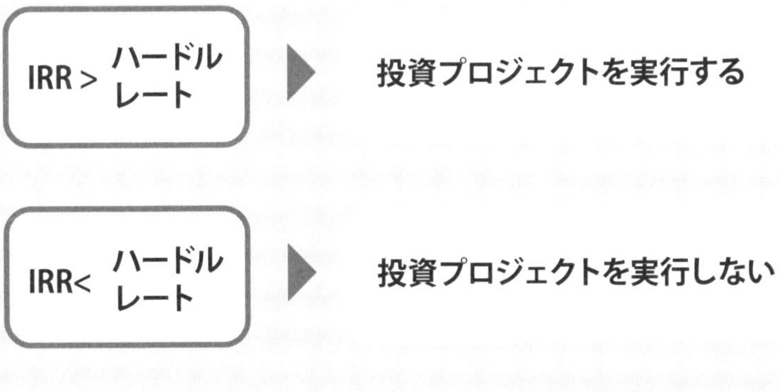

として100を獲得できますから、手許には50残ることになります（図表5-10)。一方、もし仮に、友達からの借金の利息が15%だったらどうでしょうか？　あなたは100の運用益を手にしても、それ以上の利息150（=1,000 × 15%）を支払わなければいけませんから、当然、この金融商品に投資することはありませんよね。

この簡単な例では、友達からの借入金利の水準が投資実行にあたって越えなければいけない基準といえます。これをファイナンスの世界では**「ハードルレート」**と呼んでいます。このように、IRR法にもとづく投資の意思決定では、期待利回りであるIRRがハードルレート（上記の例では借入の金利）を越えれば投資プロジェクトを実行すべきであり、IRRがハードルレートを越えなければ投資プロジェクトは実行すべきでないという結論になります(図表5-11)。

IRRは「NPVをゼロにする割引率」

図表5-10で登場した金融商品は、いま1,000を投資して1年後に1,100になって戻ってくるから、IRRが10%であるということは直感的に理解できます。これをNPVで考えると、この金融商品のNPVは、

$$\frac{1{,}100}{1 + 0.1} - 1{,}000 = 0$$

となるため、IRRは「NPVをゼロにする割引率」であるということがわかります。NPVのところでコスパの話をしましたが、NPV = 0ということは、まさに価格が価値にちょうど見合っている状態であることを意味しています。

今度は、図表5-2のところで用いた投資プロジェクトのキャッシュフローからIRRを計算してみましょう（図表5-12)。そうすると、IRRは6.57%となります。

5-12. 投資プロジェクトのIRR

	現在	1年目	2年目	3年目	4年目	5年目
キャッシュフロー	**-1,000**	100	200	250	300	400

$$\frac{100}{(1+IRR)}+\frac{200}{(1+IRR)^2}+\frac{250}{(1+IRR)^3}+\frac{300}{(1+IRR)^4}+\frac{400}{(1+IRR)^5}-1{,}000=0$$

となるIRRを求めると……　　IRR=6.57%

5-13. IRRはNPVをゼロにする割引率

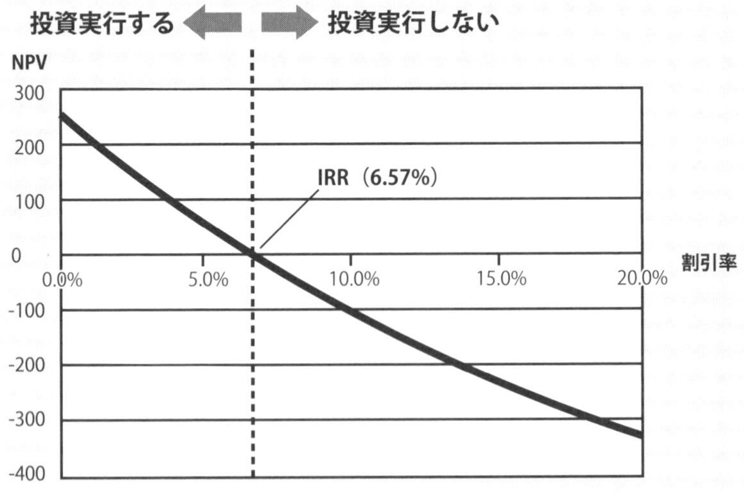

実際にIRRを計算する際は、エクセルで関数を用いれば瞬時に求めることができます。

割引率とNPVの関係をグラフ化したものが図表5-13です。IRR法によれば、投資プロジェクトに関する意思決定は、IRRがハードルレートを越えれば実行すべき、IRRがハードルレートを下回れば実行すべきでないと判断します。

したがって、この投資プロジェクトについては、ハードルレートが5%のときは、

IRR（6.57%）＞ハードルレート（5%）

だから実行すべきとなり（NPVがプラスとなっている）、ハードルレートが10%のときは、

IRR（6.57%）＜ハードルレート（10%）

だから実行すべきでない（NPVがマイナスになっている）、と結論づけられます。

04 NPVとIRRをどのように使うか

IRRのデメリット

実は、このIRRには致命的な弱点があります。これについて、事例を用いて確認してみましょう。図表5-14をご覧ください。いま、AとB、ふたつの投資プロジェクトが検討の対象になっており、どちらか一方のプロジェクトしか実行できないとしましょう。両プロジェクトとも割引率を5%とします。

両プロジェクトのNPVとIRRをそれぞれ計算すると、プロジェクトAのNPVは458、IRRは12.7%、プロジェクトBのNPVは176、IRRは15.0%となります。ここでの割引率、つまり、ハードルレートは5%ですから、プロジェクトAもプロジェクトBもIRR＞ハードルレートとなり、両プロジェクトとも実行可能です。

両プロジェクトのIRRを比較すると、プロジェクトBのほうが有利です。一方、NPVで両プロジェクトを比較すればAのほうが有利となります（図表5-15)。さて、困りましたね。もし、あなたが社長から「君、どちらのプロジェクトを採用したらいいんだね？」と聞かれたら何と答えるでしょうか？

これがIRRのデメリットにほかなりません。投資の意思決定は、企業価値の向上を目的として行なわれなければなりません。そのため、投資の結果、企業価値がより大きくなるプロジェクトに投資するのが正しい意思決定です。

プロジェクトAとプロジェクトBでは、プロジェクトBのほうがIRRは高いため、相対的により効率よくキャッシュを稼ぐことができています。と

5-14. NPV と IRR

プロジェクト A

	現在	1 年目	2 年目	3 年目	4 年目	5 年目
キャッシュフロー	**−2,000**	400	600	750	600	500
割引率	**5.0%**					
NPV	458					
IRR	12.7%					

プロジェクト B

	現在	1 年目	2 年目	3 年目	4 年目	5 年目
キャッシュフロー	**−500**	100	100	150	200	250
割引率	**5.0%**					
NPV	176					
IRR	15.0%					

5-15. A、B どちらのプロジェクトを採用すべきか？

NPV で比較すると

プロジェクト A の NPV：458 **>** プロジェクト B の NPV：176

プロジェクト A が有利

IRR で比較すると

プロジェクト A の IRR：12.7% **<** プロジェクト B の IRR：15.0%

プロジェクト B が有利

ところが、両プロジェクトのNPVを比較すると、プロジェクトAのほうが大きいため、プロジェクトAを実行したほうが企業価値をより大きくすることができるのです。したがって、どちらか一方の投資しか認められていない状況下では、プロジェクトAを採用するのが正しい意思決定です。

このように、IRRは**「投資プロジェクトの規模が反映されない」**というデメリットがあることを考慮しておく必要があります。IRRでは投資の効率性、NPVでは投資が企業価値に与える絶対額をそれぞれ計算できるのです。

IRRは投資予算が限られているときに有効

そんなデメリットのあるIRRですが、投資予算が限られている場合はIRRの利用が有効です。図表5-16をご覧ください。AからHまでの8つの投資プロジェクトが検討されており、5年目までのキャッシュフローとそれ

5-16. 投資予算が限られているときの意思決定

（割引率5.0%）

	キャッシュフロー							
プロジェクト名	現在	1年目	2年目	3年目	4年目	5年目	IRR	NPV
プロジェクトA	-500	50	100	120	150	180	5.4%	6
プロジェクトB	-300	50	75	100	120	150	16.1%	118
プロジェクトC	-1,000	100	250	300	400	450	12.4%	263
プロジェクトD	-800	200	300	250	200	100	10.9%	121
プロジェクトE	-1,500	300	400	500	550	300	11.0%	268
プロジェクトF	-2,000	400	450	500	650	600	8.7%	226
プロジェクトG	-1,200	250	300	350	450	500	14.4%	375
プロジェクトH	-400	100	115	125	150	165	17.3%	160

5-17. IRRの大きい順にプロジェクトを実行

投資予算3,000で
可能なプロジェクト

プロジェクト名	IRR	NPV	NPV累計額	初期投資額	初期投資累計額
プロジェクトH	17.3%	160	160	400	400
プロジェクトB	16.1%	118	278	300	700
プロジェクトG	14.4%	375	653	1,200	1,900
プロジェクトC	12.4%	263	916	1,000	2,900
プロジェクトE	11.0%	268	1,184	1,500	4,400
プロジェクトD	10.9%	121	1,305	800	5,200
プロジェクトF	8.7%	226	1,531	2,000	7,200
プロジェクトA	5.4%	6	1,538	500	7,700

IRRの大きい順に並べ替え

にもとづくIRRとNPVが明らかになっています。いま、この会社では、投資予算の総額に3,000という制約があるとしましょう。

このようなケースでは、投資プロジェクトをIRRの大きな順に並べ替えてみると、どの投資プロジェクトに投資すべきかがわかります（図表5-17）。IRRの大きなプロジェクトから順にH、B、G、Cと4つに投資した段階で初期投資総額が2,900となり、投資予算を使い切ることになります。このときのNPV総額は916となり、限られた投資予算の範囲でNPVを最大化、すなわち、企業価値を最大化するプロジェクトの組み合わせが導かれます。

NPVとIRRの計算ステップと注意点

NPVとIRRについて、両者の計算ステップをおさらいしておきましょう（図表5-18）。

5-18. NPV と IRR の計算ステップ

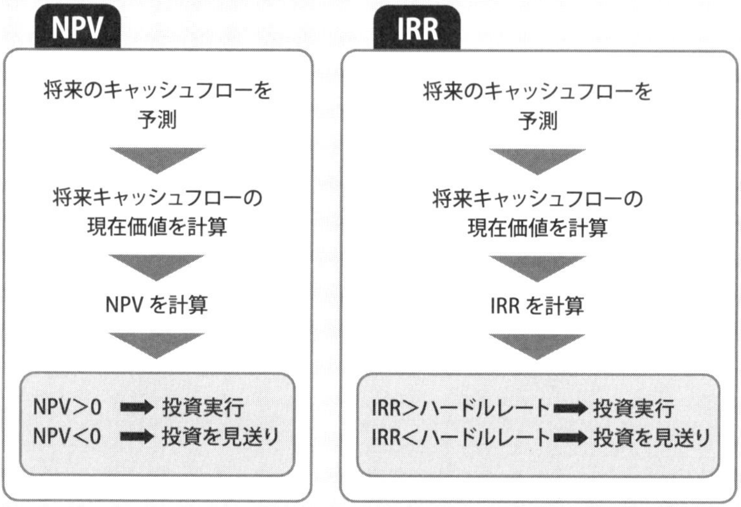

まず、両者とも将来のキャッシュフローを予測し、それにもとづき割引率を使って現在価値を計算するところまでは共通しています。NPV 法ではNPV を計算し、NPV ＞0となれば投資プロジェクトを実行すべき、NPV ＜0となれば投資プロジェクトは見送りと判断します。IRR では IRR ＞ハードルレートとなれば投資プロジェクトを実行すべき、IRR ＜ハードルレートとなれば投資プロジェクトは見送りと判断します。

NPV と IRR は、将来のキャッシュフローの現在価値にもとづく投資意思決定の判断指標であるという点で共通しています。そのため、両者で投資意思決定の結論が異なることがあってはいけません。たとえば、ある投資プロジェクトについて、NPV だと0より大きくなるから投資プロジェクトを実行すべきという結論になって、IRR だとハードルレートより小さくなるから投資プロジェクトを見送るべき、なんていう結論になっては現場でどうしたらいいのかわからず混乱してしまいます。

そこで、企業がある投資プロジェクトを検討している場合、投資のタイミングが同じであれば、**NPVの割引率とIRRのハードルレートは同じ数値に固定しておく**必要があります。NPVの割引率が5%なのにIRRのハードルレートが10%なんていうことがあってはいけません。投資プロジェクトの性質が変わったり、タイミングがずれたりすれば、割引率やハードルレートの数値そのものを変えることはかまいませんが、その場合でもNPVの割引率とIRRのハードルレートは同じ数値にそろえておかなくてはいけません（なお、ハードルレートをどう設定するかは後述します）。

（演習）複数のプロジェクトの中からどれを選択するか

図表5-19は、ある企業が検討している投資プロジェクト案です。現在、この企業の投資予算は35,000が上限となっており、投資のポリシーとして

5-19. 複数のプロジェクトからどれを選択するか

	キャッシュフロー						
	投資額	1年目	2年目	3年目	4年目	5年目	IRR
プロジェクトA	**-5,000**	1,000	2,000	1,500	1,400	1,200	13.0%
プロジェクトB	**-10,000**	2,000	4,000	5,000	3,000	2,000	18.1%
プロジェクトC	**-20,000**	3,000	3,500	5,000	7,000	9,000	9.6%
プロジェクトD	**-25,000**	3,500	5,000	7,500	9,000	12,000	12.0%
プロジェクトE	**-30,000**	7,000	8,000	9,000	7,500	6,500	8.5%
プロジェクトF	**-40,000**	10,000	10,500	11,000	11,500	9,500	9.8%

5-20. IRRの高い順にプロジェクトを並べ替えると…

（割引率10%）

	キャッシュフロー						IRR	NPV	NPV累計額	初期投資額	初期投資累計額
	投資額	1年目	2年目	3年目	4年目	5年目					
プロジェクト**B**	**-10,000**	2,000	4,000	5,000	3,000	2,000	18.1%	2,171	2,171	10,000	10,000
プロジェクト**A**	**-5,000**	1,000	2,000	1,500	1,400	1,200	13.0%	390	2,562	5,000	15,000
プロジェクト**D**	**-25,000**	3,500	5,000	7,500	9,000	12,000	12.0%	1,547	4,109	25,000	40,000
プロジェクト**F**	**-40,000**	10,000	10,500	11,000	11,500	9,500	9.8%	**-214**	3,895	40,000	80,000
プロジェクト**C**	**-20,000**	3,000	3,500	5,000	7,000	9,000	9.6%	**-254**	3,641	20,000	100,000
プロジェクト**E**	**-30,000**	7,000	8,000	9,000	7,500	6,500	8.5%	**-1,104**	2,537	30,000	130,000

IRRの高いプロジェクトBとプロジェクトAを実行すべき？

10%をハードルレートにしています。この場合、AからFまでの投資プロジェクト案のうち、どれを投資実行すべきでしょうか？　IRR法を用いて投資の意思決定を行なってください。

【考え方】

まず、AからFまでの各投資プロジェクト案について、IRRを求めましょう。エクセルでIRR関数を使うと図表5-19のとおりに求められます。投資予算が限られていますので、この結果にもとづいて、投資プロジェクト案をIRRの高い順に並べ替えてみます（図表5-20）。まず、プロジェクトF、C、Eの3案はIRRがハードルレートの10%を下回るため、この時点で廃案となります。したがって、実行すべき投資プロジェクト案は3案に絞られます。

IRRの高い上位2つのプロジェクトBとプロジェクトAを選択した時点

5-21. NPVも要チェック

	キャッシュフロー						IRR	NPV	NPV累計額	初期投資額	初期投資累計額
	投資額	1年目	2年目	3年目	4年目	5年目					
プロジェクトB	**-10,000**	2,000	4,000	5,000	3,000	2,000	18.1%	2,171	2,171	10,000	10,000
プロジェクトD	**-25,000**	3,500	5,000	7,500	9,000	12,000	12.0%	1,547	3,719	25,000	35,000
プロジェクトA	**-5,000**	1,000	2,000	1,500	1,400	1,200	13.0%	390	4,109	5,0000	40,000

▼

プロジェクトBとプロジェクトDを
選択したほうがNPVは大きくなる

で初期投資累計額は15,000にとどまりますが、プロジェクトDまで選択すると、初期投資累計額は40,000となり、投資予算35,000を超えてしまいます。ちなみに、IRRの上位2案を選択した場合のNPV累計額は2,562となります。これを受けて、「投資プロジェクトBとAの2案を実行すべき」と結論づけてはいけません。

なぜなら、プロジェクトDはプロジェクトAよりIRRは低くなっていますが、プロジェクトBとDの2案を選択したほうがNPV累計額は3,719となり、プロジェクトBとAの2案を選択した場合のNPV累計額2,562より大きくなるのです（図表5-21）。そして、プロジェクトBとDの2案を選択すると初期投資累計額は35,000となり、ちょうど投資予算の上限と等しくなっています。

以上より、このケースでは、投資プロジェクトBと投資プロジェクトDを実行すべき、という結論が導かれることになります。

05 単純回収期間法

単純回収期間法とは

投資の意思決定のための判断基準には、NPVとIRRのほかに**「単純回収期間法」**があります。単純回収期間法では、投資したお金を何年で回収できるかを計算し、社内であらかじめ決めておいた基準年数より早く回収できるかどうかで投資実行の可否を判断します。

たとえば、検討対象の投資プロジェクトのキャッシュフローが図表5-22のとおり予測されているとします（図表5-2と同じプロジェクトです）。この投資プロジェクトでは、1,000投資した後、4年目までに累計で850が回収されます。投資額の1,000を回収するまでに、まだあと150（= 1,000 − 850）足りません。5年目の400というキャッシュフローが年度内に均等に回収されると仮定すると、150 ÷ 400 = 0.375年（4.5か月）となり、投資資金の全額を回収するのに4.375年かかるという計算になります。この会社で「投資の実行は、回収期間が3年以内のプロジェクトに限る」といった基準があれば、4.375年＞3年となり、当該投資プロジェクトの実行は見送るべきという結論が導かれます。

ところが、これまで学習してきてわかるとおり、この単純回収期間法には、ファイナンス理論上はいろいろな問題があります。

単純回収期間法の問題点

第1に、**キャッシュフローの時間価値を無視している**点です。1年後の

5-22. 単純回収期間法

	現在	1年目	2年目	3年目	4年目	5年目
キャッシュフロー	−1,000	100	200	250	300	400
投資回収額		100	300	550	850	1,250

(1,000−850) ÷ 400＝0.375

（850：4年目までの投資回収額）

回収期間は、4＋0.375＝4.375年

100万円より今日の100万円のほうが価値が高いというファイナンスの基本中の基本をPART 4で学びましたが、単純回収期間法では、ファイナンスの世界で大切な時間の価値を無視しており、今日の100万円も1年後の100万円も同じ価値として扱ってしまっています。

第2に、時間価値を無視している点と表裏一体のことですが、**投資プロジェクトのリスクを考慮していない**という点が問題です。NPVやIRRでは将来のキャッシュフローの現在価値を計算しますが、その際に用いる割引率は投資プロジェクトのリスクを反映しています。ところが、単純回収期間法は現在価値を計算しないため、結果として投資プロジェクトのリスクも無視していることになります。

第3に、**回収期間以降のキャッシュフローを無視している**という問題です。図表5-22のケースでは将来のキャッシュフローを5年しか予測していませんが、10年くらいの期間を予測している場合、回収期間の4.375年後に予測される大きなキャッシュフローを切り捨ててしまうという可能性があります。5年目以降に大きなキャッシュフローを期待できる投資プロジェクトはNPVが大きくなり、企業価値の向上に寄与することが考えられます。

理論的に正しいNPV法より単純期間回収法が採用される理由

上記のような問題を内包しながら、実務の世界では、単純回収期間法が結構重宝されています。

その理由は言わずもがな、計算が極めて簡単だからです。NPVでの割引率やIRRでのハードルレートの考え方は、理論的には正しいものの、いざやってみると「いったい何%にしたらいいんだろう？」という終わりのない議論が続くことになります（次のPARTで学びます）。そこで、誰が見てもわかりやすい単純回収期間法を使っておけば社内の誰からも文句が出ず、反論されなくてすむのです。

また、日本の大企業に多い（多かった？）ハイテク型の製造業の場合、技術革新のスピードが速く、製造設備の陳腐化も速いため、3年くらいの短期間のうちに投資金額を回収したいという事情があります。したがって、NPVの割引率を何%にすべきかなんていう悠長な議論をしているより、3年以内に回収できなければ設備投資をしない（投資するからには3年以内に回収する）という単純明快な判断基準で投資実行の可否を決めたほうがラクだったのです。

ただやはり、ファイナンス戦略の目的は企業価値の最大化にあるという原理原則に立ち返ると、**投資の意思決定はNPVやIRRで判断すべきであり、単純回収期間法はあくまで参考指標にとどめておく**べきでしょう。

企業価値を
求めるための
ファイナンス理論

Accounting
&
Corporate Finance

01 企業価値は「非事業価値」と「事業価値」で構成される

コーポレートファイナンスの世界では、企業の実力を「企業価値」で測るとPART 1で説明しましたが、覚えているでしょうか？　将来獲得するキャッシュの現在価値の大きさで企業価値は決まります。いよいよ企業価値について、詳しく見ていくことにしましょう。

実は、企業価値は、「非事業価値」と「事業価値」の2つに分解することができます。

非事業価値というのは、「会社の事業とは直接関係のない資産から生み出される価値」のことをいいます。具体的には、手許に保有しているキャッシュ、余剰資金で運用している有価証券投資などをいいます。これらは換金価値があるためキャッシュに換えようと思えばいつでもキャッシュにすることができるという意味でキャッシュと同等の価値があります。また、ゴルフ会員権や書画・骨董などの資産の時価評価額も非事業価値になります。このような資産は、手許に置いていることで新たなキャッシュを生み出す、つまり、価値を新たに増やすことができるわけではありません。このような非事業資産については、それぞれの資産を時価で評価することによって非事業価値を求めることになります。

一方、**事業価値**というのは、「会社の事業そのものが新たに生み出す価値」をいいます。事業価値は、企業が事業の運営によって将来獲得するキャッシュフローを一定の割引率で現在価値に引き直して計算します。まさに前のPARTでやっていた内容です。非事業価値が“いま”手許に保有しているキャッシュを指しているのに対して、事業価値は“将来”獲得するキャッシュの現在価値を指しているということが理解できたと思います。

6-1. 企業価値の内訳と帰属先

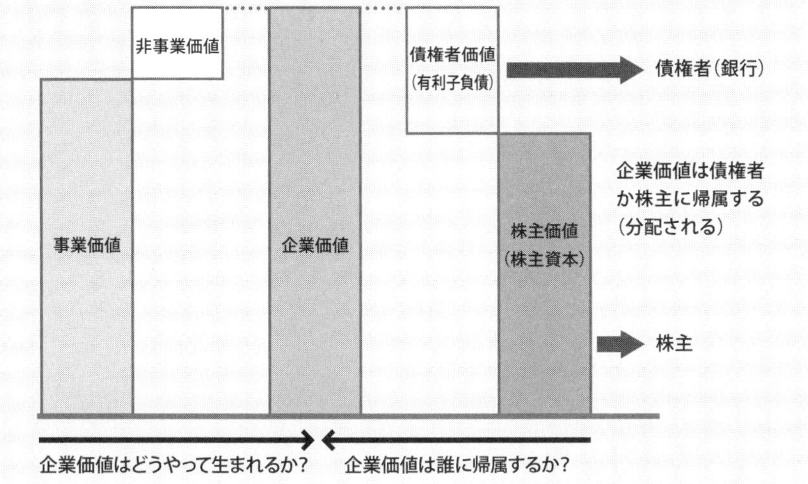

企業価値は債権者価値と株主価値の2つに分類できる

図表6-1をご覧ください。**非事業価値と事業価値を合計したものこそ企業全体の価値、すなわち、「企業価値」**にほかなりません。そして、この企業価値は、最終的に企業に対してキャッシュを投じてくれた投資家、つまり、債権者（主に銀行）と株主に帰属します。会社法上、会社を清算したときに最後に残った会社財産は、はじめに債権者に分配します。そして、なお余りがある場合にかぎって、はじめて株主がその分配にあずかることができます。

つまり、会社に対する投資家でも債権者と株主とでは、債権者の利益が優先され、株主は相対的に劣後した扱いを受けることになっています。そのため、企業価値から債権者の持分である「債権者価値（有利子負債）」を控除した残りが株主に帰属する価値、すなわち、**「株主価値（株主資本）」**となるわけです。

02

事業価値は、事業が将来生み出すフリーキャッシュフローの現在価値

DCF法とフリーキャッシュフロー

事業価値は、将来獲得するキャッシュフローを一定の割引率で現在価値に引き直したものであると説明しました。このように将来のキャッシュフローを現在価値に割り引くことによって事業価値を求める方法のことを**ディスカウンテッド・キャッシュ・フロー（Discounted Cash Flow）法**、または、これを略して単に**「DCF法」**と呼んでいます。

DCF法による事業価値の算出では、企業が生み出すと予想される将来の「フリーキャッシュフロー」(FCF) を現在価値に割り引きます。フリーキャッシュフローというのは、フリーという文字どおり「自由に使えるキャッシュ」という意味で使われています。

ただ、ここで自由に使えると言っているのは、図表6-1で示した企業価値の構成からもわかるとおり、債権者や株主という投資家にとって自由に使えるキャッシュという意味になります。つまり、企業価値は債権者と株主という投資家に帰属する（分配される）価値ですから、その企業価値を構成する事業価値についても、その源泉であるフリーキャッシュフローは投資家が自由に使えるキャッシュであるということが理解できるかと思います。けっして経営者が好き勝手に使えるキャッシュという意味ではありません。

6-2. 「打ち出の小槌」と「企業」の違い

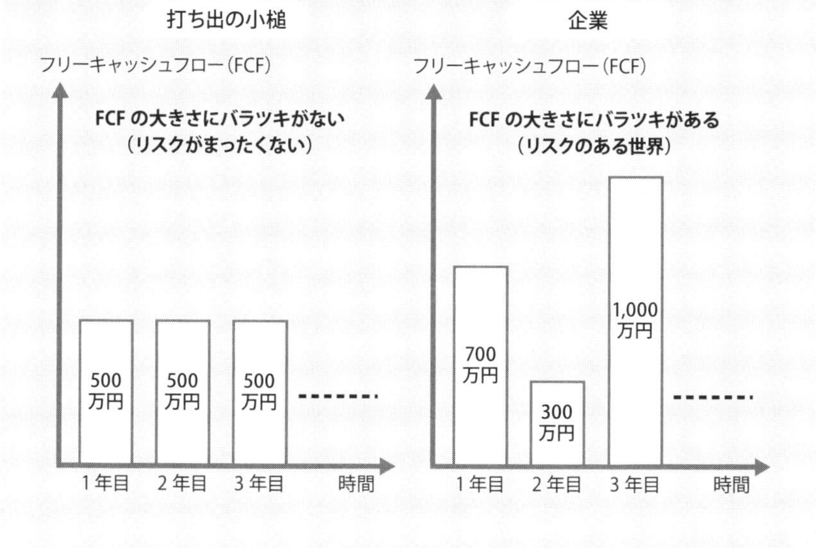

「打ち出の小槌」と「企業」の違い

【リスク（不確実性）の存在】

PART 4で登場した打ち出の小槌の例では毎年500万円の現金が確実にもらえると仮定されていました。ところが、企業が生み出すフリーキャッシュフローは毎年変動するのが普通です（図表6-2)。さらに、企業の場合、フリーキャッシュフローが毎年変動するどころか、企業そのものが倒産してしまう可能性すらあります。

特に、企業の株式は、企業が倒産してしまえば、紙クズになってしまうことが少なくありません。すなわち、投資によって得られる期待リターンがまったく読めないということです。そのような対象に投資をするとき、リスクのまったくない打ち出の小槌に投資するときと同じ低水準の期待リターンで満足するということはあり得ませんね。

ところで、図表6-2の企業について、1年目に700万円だったフリーキャッシュフローが2年目に300万円に著しく落ち込むことを「リスク」と呼んでいるわけではありません。ファイナンスの世界でいうリスクとは、フリーキャッシュフローが300万円になったり1,000万円になったりという「バラツキの大きさ」のことを指しています。**ファイナンスの世界でリスク（不確実性）と聞いたら、バラツキの大きさのことを言っている**んだなと理解してください。そして、そのバラツキを数値化したものが標準偏差でした。

さて、打ち出の小槌は毎年500万円の現金が必ずもらえるというリスクのまったくない前提でしたから、1%というきわめて低い割引率を用いました。ところが、企業の事業価値を計算するDCF法の場合、将来生み出すと予定されていたフリーキャッシュフローが予想どおりに獲得できない可能性や企業が倒産するかもしれないという懸念を反映させるために割引率は高く設定されます。

【ゴーイングコンサーン（継続企業）の前提】

打ち出の小槌の例では寿命が5年間という期間に限定されているのに対して、企業の寿命は永遠であるという大きな違いがあります（この前提条件を**「ゴーイングコンサーン」**といいます)。そのため、DCF法で事業価値を求める際には、未来永劫生み出すフリーキャッシュフローの現在価値を計算することになります。

もっとも、100年後のフリーキャッシュフローを具体的に見積もるといったことは非現実的です。そこで、DCF法では、予測期間を10年とした場合、11年目以降の事業価値については一定の仮定を設けてフリーキャッシュフローの現在価値を計算します。この場合の11年目以降の事業価値のことを**「ターミナルバリュー（永続価値)」**と呼んでいます。

6-3. DCF法による事業価値の計算

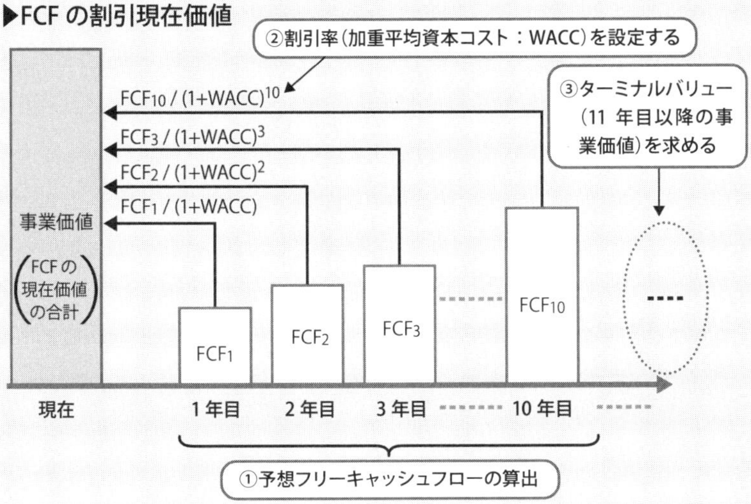

DCF法の手順

DCF法による事業価値の計算に関する基本は、将来生み出すと予想されるフリーキャッシュフローを現在価値に割り引くことです。図表6-3は、予想フリーキャッシュフローを一定の割引率で現在価値に引き直す流れをイメージしています。これを見てわかるとおり、DCF法によって事業価値を求めるためにやるべきことは、

①予想フリーキャッシュフローを算出する

②割引率（WACC）を設定する

③ターミナルバリュー（図表6-3の例では11年目以降の事業価値）を求める

という3つのステップにすぎません。

予想フリーキャッシュフローを求めるに際して、「将来何年分を見積もれ

6-4. 予想期間を何年にすればよいか？

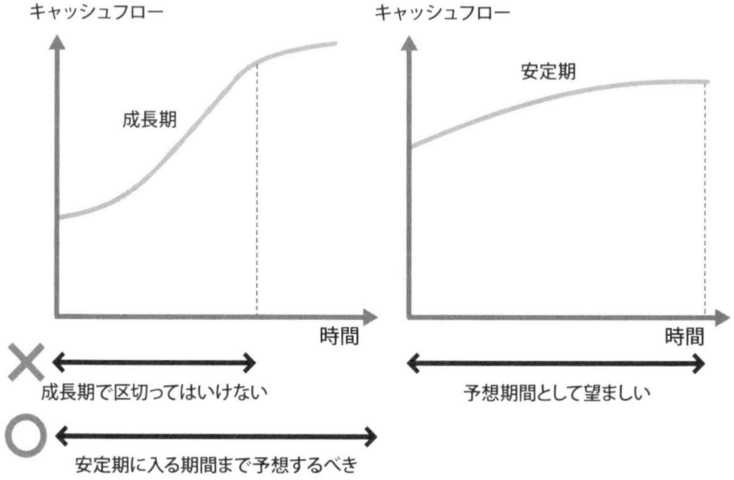

ばよいのか？」ということがときどき議論になります。フリーキャッシュフローの予想期間について、明確に5年とか10年といった模範回答があるわけではありません。実務上は、業績が成長期から安定期に入るところまでを見積もるのが望ましいとされています（図表6-4）。

また、事業価値を求める際に用いる割引率は、有利子負債コストと株主資本コストの加重平均資本コストである**WACC**を使用します。WACCは、「Weighted Average Cost of Capital」の頭文字を取った単語であり、通常「ワック」と呼んでいます。この計算方法は少し後で登場します。

予想フリーキャッシュフローとWACCさえ求めることができたら、あとはほぼ自動的にターミナルバリューも計算することができますので、DCF法による事業価値の算出は完了します。

03 フリーキャッシュフローは投資家に帰属するキャッシュ

DCF 法によって事業価値を求めるためにやるべきこととして、まず「予想フリーキャッシュフローの算出」が必要であると説明しました。

フリーキャッシュフローは営業利益からそれに係る税金を差し引き、減価償却費を加え、設備投資額と運転資金増加額を差し引くことによって求められます（図表 6-5）。このように説明してもなかなか理解しにくいでしょうから、ひとつひとつ順に見ていくことにしましょう。

6-5. フリーキャッシュフローの求め方

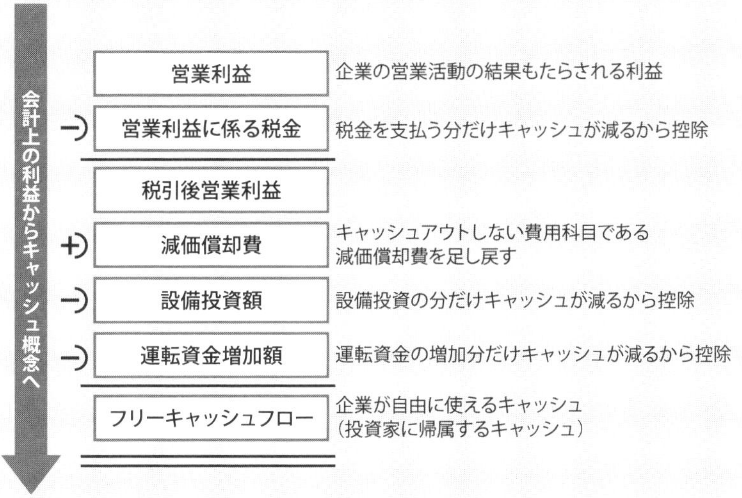

税引後の営業利益を計算する

大切なことなので繰り返しますね。将来獲得されるフリーキャッシュフローを現在価値に割り引いた事業価値に非事業価値を加えた企業価値が投資家である債権者と株主に帰属します。したがって、フリーキャッシュフローは当然に債権者と株主に帰属するものでなければなりません。

一般的に、企業は商品やサービスを顧客に提供することによって売上を獲得しますが、それがまるまる債権者と株主に分配されるわけではありません。債権者と株主がその分配にあずかる前には、原材料費などの売上原価（製造原価）を取引業者に支払ったり、販売費及び一般管理費に含まれる経費を外部や従業員に支払ったり、さらには、利益に係る法人税などの税金を国や自治体に納める必要もあります（28頁の図表2-4を見返してください）。

そのように考えると、企業の営業活動の結果もたらされる利益である損益計算書上の「営業利益」は、「売上高」から「売上原価」のほか、人件費や経費などの「販売費及び一般管理費」を控除して求められる会計上の利益です。この営業利益に係る税金を差し引くことによって求められる税引後の営業利益が債権者に対する有利子負債の元本返済や利払い、および、株主に対して支払う配当の原資になります。

したがって、フリーキャッシュフローを計算するうえでは、まず税引後の営業利益を求めるところからスタートします。

減価償却費を足し戻す

ところで、法人税などの企業の税金は、売上原価や販売費及び一般管理費に含まれる減価償却費を控除した後の利益に対して課税がなされます。そのため、企業は現金支出を伴わない減価償却費を計上する分だけキャッシュが社内にたまっていきます。会計上の営業利益は、減価償却費をも控除した利益ですから、フリーキャッシュフローを求めるためには、会計上の利益をキャッシュフロー・ベースに修正する必要があります。そこで、税引後の営業利益に減価償却費の金額を足し戻すことによって、会計上の利益の概念をキャッシュフローの概念に調整する必要があります。

減価償却費が利益とキャッシュフローに与える影響について忘れてしまった読者の方は、もう一度PART 1に戻って復習してみてください。

設備投資額を差し引く

先ほど、債権者と株主に帰属するフリーキャッシュフローを求めるためには、税引後の営業利益からスタートしますと説明しました。売上高から売上原価や販売費及び一般管理費、そして、税金を差し引いて残った税引後の営業利益がフリーキャッシュフローの源泉となるからですね。それ以外に差し引いておくべき項目はないでしょうか？

企業は、将来のキャッシュフローを生み出すために必要な設備投資にキャッシュを使います。当然、債権者と株主に分配されるフリーキャッシュフローは、企業が設備投資に必要なキャッシュを使った後に残ったキャッシュです。そのため、フリーキャッシュフローを求めるためには、税引後営業利益に減価償却費を足し戻した後、さらに、設備投資額も差し引いておく必要があります。

運転資金増加額を差し引く

フリーキャッシュフローを計算するためには、税引後営業利益に減価償却費を足し戻して、設備投資額を差し引く必要があることがわかりました。ここまでの計算で求められたキャッシュをすべて債権者と株主に分配してしまって大丈夫でしょうか？

PART 2で学習したことを思い出してみてください。企業が事業を滞りなく運営していくためには運転資金が必要であることを学びました。企業が将来にわたって永遠に成長することがなければ必要となる運転資金が増えることはありません。したがって、運転資金として必要なキャッシュを銀行から調達したり、手許のキャッシュを取り崩して運転資金に充てたりする必要がないわけです。

ところが、企業が将来にわたって売上高を拡大させることによって成長しようと思えば、必要となる運転資金は増えていくことになります。売上高を増やすためには在庫への投資も必要ですから、その分のキャッシュが出ていくことをイメージできると思います。したがって、毎期、事業の運営に必要とする運転資金の増加額を外部に支払うべきキャッシュとして差し引いておかなければなりません。

簡単な例で見てみましょう（図表6-6）。X1期における年間売上高が1,200だったとします。つまり月間売上高は100です。この企業の運転資金を構成する各科目の回転期間が売掛金3か月、在庫3か月、買掛金4か月で

6-6. 運転資金の増加額

▶運転資金が増えるとキャッシュが出て行く

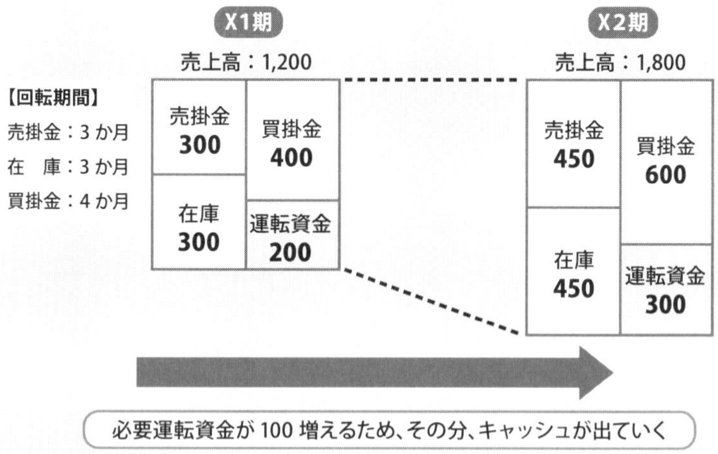

あると仮定すると、X1 期末における各科目の残高は、売掛金 300、在庫 300、買掛金 400 となります。したがって、必要運転資金は、300 ＋ 300 − 400 ＝ 200 ということがわかります。さて、この企業が X2 期に売上高が 1,800 に増えたとしましょう。つまり、月間売上高は 150 です。回転期間が X1 期と変わらないと仮定すると、X2 期末における各科目の残高は、売掛金 450、在庫 450、買掛金 600 となりますから、必要運転資金は 450 ＋ 450 − 600 ＝ 300 となり、X1 期末と比べて 100 増えています。この X1 期末から X2 期末にかけて増えた必要運転資金の 100 に相当するキャッシュが X2 期の間に会社から出ていっているわけです。

キャッシュフロー計算書（C/F）で計算されるフリーキャッシュフローとどう違うのか？

PART 2のところで、キャッシュフロー計算書（C/F）に登場する「営業活動によるキャッシュフロー」と「投資活動によるキャッシュフロー」を足したものをフリーキャッシュフローといいますよ、と説明していました。そのため、上記のように税引後営業利益に減価償却費を足し戻して設備投資額と運転資金増加額を差し引いて求めるフリーキャッシュフローについて、「キャッシュフロー計算書で簡便的に計算されるフリーキャッシュフローとどう違うのですか？」という質問を受けることがあります。

結論からいうと、概念的にはどちらも一緒です。過去の業績に関するデータを用いれば、どちらの方法で過去のフリーキャッシュフロー金額を求めても計算結果は同じになります（ただし、ちょっとややこしい計算を要しますが）。

コーポレートファイナンスの世界で事業価値を求める際、予想損益計算書（P/L）の営業利益からスタートし、税金、減価償却費、設備投資額および運転資金増加額を調整するという方法によって予想フリーキャッシュフローを計算するのが簡単で一般的です。

もちろん、予想損益計算書（P/L）と予想貸借対照表（B/S）から予想キャッシュフロー計算書（C/F）を作成することによって、営業活動によるキャッシュフローと投資活動によるキャッシュフローを足して将来のフリーキャッシュフローを求めても当然に同じ結果となります。

04 フリーキャッシュフローを割り引くときはWACCを使う

次は、DCF法によって事業価値を求めるためにやるべきことの2つめ、割引率（WACC）の設定についてです。

割引率は「投資家の期待」で決まる

ある投資家が運用資金として100万円持っていたとします。この投資家のもとに2つの投資案件が紹介されたものと仮定しましょう。投資案件Aは安定した企業の発行する株式で、「1年後に105万円になっていれば十分」と考えています。一方、投資案件Bは創業5年目のベンチャー企業に対する株式投資の案件で、そのベンチャー企業はいまだ業績も安定せず、1年後には大化けしているかもしれないし、ひょっとしたら倒産してなくなっているかもしれません。投資案件Bについて、この投資家は「伸《の》るか反《そ》るかわからないから、リスクを取って投資するからには1年後に200万円になっている可能性がないと投資できない」と考えているものとします。

このようなケースにおいて、この投資家の投資案件に対して期待するリターンは、投資案件Aが5%、投資案件Bが100%となります。これらの数値が将来のフリーキャッシュフローを現在価値に引き直すための「割引率」となるのです。

投資案件Aにおける1年後の105万円と投資案件Bにおける1年後の200万円を比較すると、1年後の残高としては95万円の差がありますが、現在価値に引き直せばどちらも100万円という同じ価値になります。

逆に投資案件Aの1年後の残高が100万円としたときの投資案件Aの現

在価値は95.2万円（＝100万円÷（1+0.05））、投資案件Bの1年後の残高が100万円としたときの投資案件Bの現在価値は50万円（＝100万円÷（1+1））となり、投資家の期待リターン（割引率）が大きいほど現在価値は小さくなります。

割引率は、投資家から見た場合、投資家が投資先企業に期待する投資利回り（期待リターン）である、ということが理解できたのではないでしょうか。簡単に言ってしまうと、「○○という企業に投資するのだったら、最低限これくらいのリターンが期待できないと投資なんてしたくない」といったような感情のことなのです（PART 4のワークが参考になると思います）。

加重平均資本コスト（WACC）の概念

投資家が企業に対して投資する行為と企業が資本を調達する行為とは、同じ物事を表と裏から見る関係にあります（図表6-7）。したがって、投資家の期待リターンは、企業の側から見たら資本を調達するためにかかるコスト、すなわち、**「資本コスト」**ということになります。

債権者である銀行や社債の購入者は、企業に資金を提供するにあたって金利の支払いを企業に対して求めます。銀行からの借入や社債の発行は企業にとって借金ですから、金利はまさしく企業の負担する資本コストです。コーポレートファイナンスの世界では、こうした借金のことを**「有利子負債」**とか**「デット（Debt）」**と呼び、金利のことを**「有利子負債資本コスト」**と呼びます。なお、正確には、税効果を加味した金利が有利子負債の資本コストとなりますが、これについては後述します。

また、株主は、企業の株式を購入する見返りとして、配当の支払いや株価の上昇に伴うキャピタルゲイン（株式の売却益）の獲得を企業に対して期待します。したがって、企業にとって配当やキャピタルゲインは資本コストとなります。コーポレートファイナンスの世界では、株式の発行によって調達する資金のことを**「株主資本」**とか**「エクイティ（Equity）」**と呼び、配

6-7. 投資家の期待リターン＝企業の資本コスト

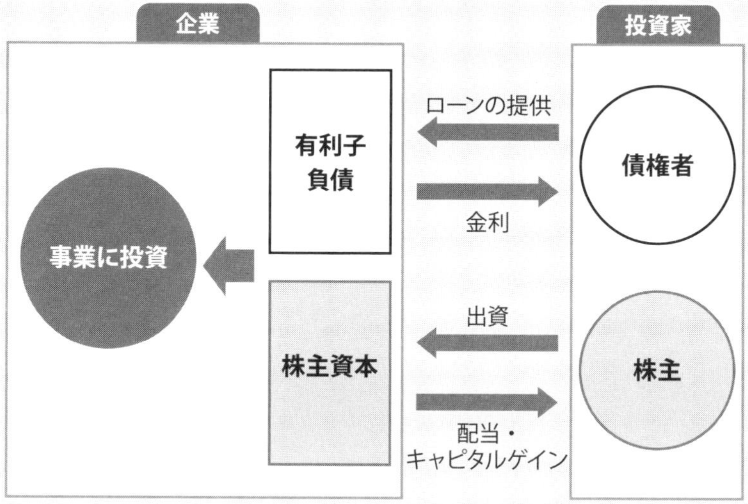

当やキャピタルゲインを**「株主資本コスト」**と呼びます。

株主が株式を100円で購入して200円で売却すると、100円の利益が出ます。これがキャピタルゲインです。しかし、このキャピタルゲインは株主が勝手に市場で売買した結果発生したものであり、企業が直接株主に支払ったわけではありません。したがって、「キャピタルゲインが資本コストになる」という説明は少しわかりにくいかもしれませんが、投資家が企業に期待するキャピタルゲインを企業側の資本コストとして理解するためには、「機会費用」という概念で考える必要があります。

借入金などの有利子負債と異なり、株式の投資家は配当に加えて株価の上昇によるキャピタルゲインをも期待します。融資を行なう銀行が元本そのものの値上がりなどまったく想定していないことと根本的に違う点です。したがって、株式の投資家にしてみたら、A社という会社の株に投資する際、国債やB社という他の会社の株に投資することによって得られるであろう期待リターンを犠牲にしているわけです。これが機会費用の概念です。投資家が期待する以上、企業は配当の支払いや株価の値上がりという形でそれに応えていかなければ資金を調達することができなくなります。

企業は有利子負債と株主資本を組み合わせて資金を調達していますので、企業にとっての資本コストは、有利子負債と株主資本の組み合わせ（資本構成）を反映して、**有利子負債資本コストと株主資本コストの加重平均（WACC）**で決まります。下記の計算式で求められるWACCが予想フリーキャッシュフローの現在価値を計算する際に用いる割引率となります。

$$\mathrm{WACC} = r_s \times \frac{E}{D+E} + r_d \times (1-t) \times \frac{D}{D+E}$$

E：株主資本（時価総額）
D：有利子負債
r_s：株主資本コスト
r_d：有利子負債資本コスト
t：実効税率

実際にWACCを求めるにあたっては、有利子負債資本コストと株主資本コストのそれぞれをあらかじめ求めておく必要があります。有利子負債資本コストについては、金利やクーポンレートなど簡単に求められますので、ここでは株主資本コストの求め方について解説します。

株主資本コストはCAPMで求められる

株主資本コストの求め方でもっとも簡単で一般的なものがCAPM（「Capital Asset Pricing Model」の頭文字をとって「キャップエム」と呼ばれています）理論にもとづく方法です（図表6-8）。

6-8. 株主資本コストとは

▶CAPM（Capital Asset Pricing Model）の計算式

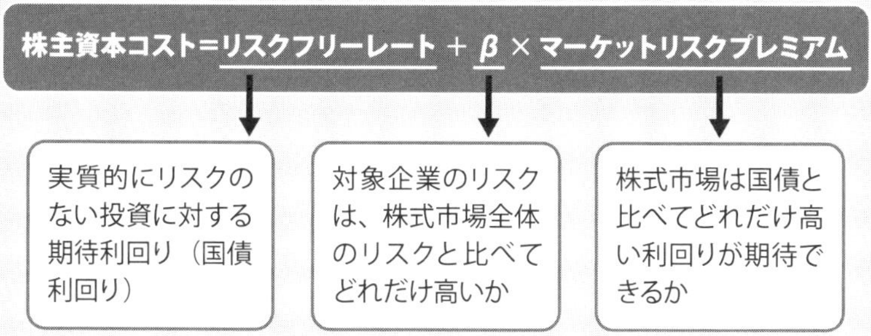

▶投資家は、最低でも国債利回りと同じだけのリターンを期待したうえで、株式市場全体と比較した対象企業のリスクの度合いに応じたリターンを期待する

CAPMの考え方によると、株主資本コストr_sは、リスクフリーレートをr_f、ベータをβ、マーケットリスクプレミアムをE（r_m）－r_fとすると、

$$r_s = r_f + \beta \times (E(r_m) - r_f) \quad \cdots\cdots (※)$$

という計算式で求められます。

リスクフリーレートとは、文字通り「リスクのない投資に対する期待リターン」ですから、すなわち、国債の利回りということになります。

そして、**マーケットリスクプレミアム**は、「株式市場が国債と比べてどれだけ高いリターンが期待できるか」を示した値です。E（○）は「期待値」の意味であり、E（r_m）は「株式市場全体に対する期待リターン」を表しています。日本の場合、マーケットリスクプレミアムは、過去30～40年ほどの統計データによると、概ね5%程度となっています。

ベータは、評価対象銘柄の株価の値動きが株式市場全体の値動きと比べてどれだけ高い（ないし低い）か、を表した値です。要するに、株式市場全体に比べてどれだけリスクが高いか（低いか）、を示しているわけです。βが1より大きければ株式市場全体より株価の値動きが大きく（リスクが高く）、1より小さければ株式市場全体より株価の値動きが小さい（リスクが低い）ことを示しており、株式市場全体とまったく同じ値動きをする銘柄のベータ値は1となります。業績の不安定なハイテク業界やベンチャー企業のベータは高く、電力・鉄道などの公共性の高い安定した業界のベータは低くなる傾向にあります。

数式が登場してアレルギー反応を起こした方もいるかもしれませんが、実はカンタンです。前頁の（※）式を見てください。これから、日本企業の株主資本コストが何％程度なのか、ざっくり見てしまいましょう。

まず、r_fは国債の利回りです。時期によって異なりますが、ざっくり1％としましょう。日本企業全体の話をしているので、ベータは1となります。そしてマーケットリスクプレミアムを示す（E（r_m）－r_f）を5％とすれば、株主資本コスト（つまり株主の期待リターン）は6％と計算できます。少し幅を持たせて、5～7％と思っておけばよいのです。

CAPMは投資家の思考プロセスを反映したもの

CAPMにもとづく株主資本コストの計算式は、株式を購入する投資家の思考プロセスをイメージすることで理解できると思います（図表6-9）。

株式投資家は、資産運用を始めようとしたとき、まず、安全な資産に投資するか、リスクの高い資産に投資するかについて検討するはずです。安全な運用対象の典型例としては、国債や銀行預金が思い浮かびますが、理屈のうえで最も安全とされる投資対象は国債です。なぜなら、国は企業と違って余程のことがない限り破綻することはありませんから、国の発行する債券は世の中でもっとも信用度の高い（安全性の高い）証券といえます。

6-9. CAPMは、株式投資家の思考プロセスを表している

▶対象企業（A社）に投資するまでの株式投資家の思考プロセスは…

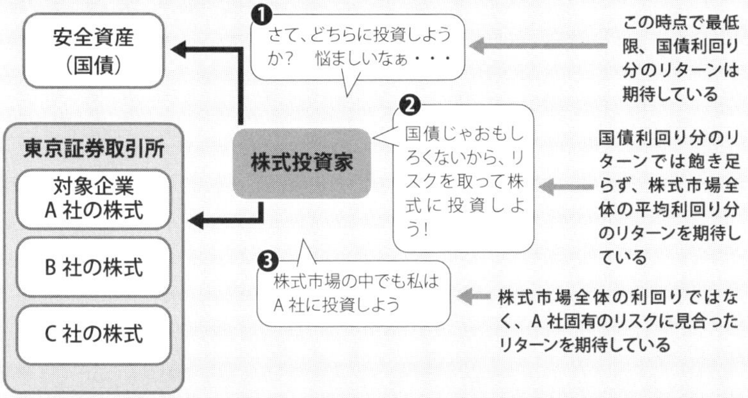

▶投資対象として、安全資産か株式かを検討した後、株式投資を選択し、さらに、複数存在する株式の中から対象企業（A社）を選択する

日本の深刻な財政赤字を目の前にすると日本国債は果たして安全なのかという懸念もありますが、コーポレートファイナンスの世界では、国債が最も安全な投資対象であるとみなすことを約束事としていますので、そんなものなんだと割り切って受け入れてください。

安全な資産が国債ならば、リスクの高い資産の典型は株式です。つまり、資産運用を検討する投資家は、リスクのない投資対象である国債に投資するか、リスク資産である株式に投資するか、悩むわけです。安全思考の投資家は国債に投資しますが、かたやリスクを好む投資家は国債の期待リターンには満足できず株式に投資します。すなわち、株式に投資する投資家は、最低限、国債で運用する場合の利回りを期待したうえで、リスクを取って株式に投資しようと考えるわけです。

さらに、株式投資家は、たくさんある銘柄の中から、どの企業の株式に投資するべきか、あれこれと悩むことになります。株式投資家が最終的に投資

すべき銘柄を選択するときのひとつの基準になっているのは、「投資対象銘柄が株式市場全体と比べて株価がどのようなパフォーマンスをするのか」といった考え方です。

このような株式投資家の思考プロセスをイメージすることができると、株主資本コストの数式も感覚的に理解できると思います。株主資本コストの数式を改めて眺めてみましょう。

$$r_s = r_f + \beta \times (E(r_m) - r_f)$$

株式投資家は、まず、国債で運用する場合の最低限のリターン（r_f）以上のものを期待します。そして、株式へ投資すると決めた時点で株式投資家は、($E(r_m) - r_f$）に連動するリターンを期待しています。そのうえで、株式市場全体と比較した投資対象銘柄のリスクの度合いに応じたリターン（β）を期待するわけです。

実務上、リスクフリーレートについて、いつの時点のどのような数値を用いるべきかが議論になることがあります。一般的に、投資判断は「今、投資するとしたら、どれだけのリターンを期待できるか」が求められているため、事業価値を算出する時点の国債利回りを用いるのが適当です。日本経済新聞朝刊のマーケット総合欄に掲載されていますので簡単に知ることができます。

また、ゴーイングコンサーンの前提で考えると、理論的には、超長期の国債利回りを用いるべきなのかもしれませんが、日本の場合、超長期国債がそもそも少ないうえ、その流動性も低く、事業価値を算出するための材料として利用できるだけの信頼性に乏しいといえます。よって、実務上は10年物の国債利回りを用いることが多くなっています。

マーケットリスクプレミアムに関して、日本では**実務上5%**という数値が用いられるケースが多いようです。これは、日本の株式市場で観測されるマーケットリスクプレミアムとして、過去30～40年間の統計値が約5%となっているためです。しかし、当然のことながら、過去のどの期間に関するデータを捕捉するかによって、この数値は大きく異なってきます。また、現時点で投資するなら「最低これくらいの超過リターンがほしい」という感覚がそれぞれの投資家にあるはずですが、当然のことながら、その数値も個々の投資家によって差があるでしょう。

DCF法による事業価値の計算は、将来のフリーキャッシュフローを予想し、その現在価値を求めるというアプローチをとるため、本来ならば、マーケットリスクプレミアムも将来の予想値でなければ整合性が確保されないことになります。ところが、マーケットリスクプレミアムの中長期的な数値を予想することは現実的に困難であり、むしろ長期的には5%程度と見るのが妥当であろうという考え方のもと、実務上は5%という数値が多くのケースで用いられています。

ベータ（β）は個別銘柄のリスクを表す

CAPMの計算式でベータに対するぼんやりとしたイメージがつかめたところで、実際に上場企業の株価データを使って改めて説明してみましょう。

東京急行電鉄とGMOインターネットを例に見ていきましょう。東京急行電鉄は潜在的に収益のブレが小さな会社の代表格であり、GMOインターネットは潜在的に収益のブレが大きな会社の代表格です。この両社の株価と東証株価指数TOPIXの値動きを比べることにしましょう（ここでは株式市場全体の値動きを示すインデックスとしてTOPIXを用いています）。2008年1月の株価を1とした場合の2013年1月までの5年間にわたる株価がどのように推移したかを示しているのが図表6-10です。

このチャートによると、東京急行電鉄の株価はTOPIXとほぼ同様の値動きを示しているように見えます。これに対して、GMOインターネットの株価は、TOPIXより遥かに大きな値動きを示しています。東京急行電鉄の株価は、この5年間、TOPIXをアンダーパフォーム（下回る）している期間が長かったのですが、アンダーパフォームの程度が極端に大きくなることも

6-10. TOPIX・東京急行電鉄の株価・GMO インターネットの株価の動き（5年間）

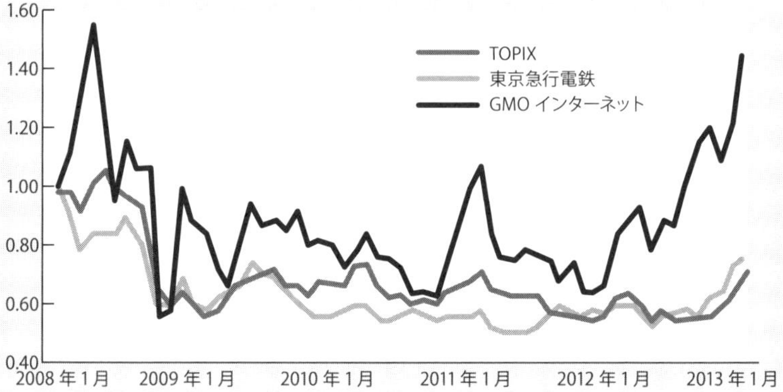

▶個別銘柄の株式のリスクの大きさは、株式市場全体の値動きと比べて大きいか、小さいかで判断する

6-11. 東京急行電鉄のベータ（β）

▶東京急行電鉄 VS. TOPIX（5 年間の月次収益率）

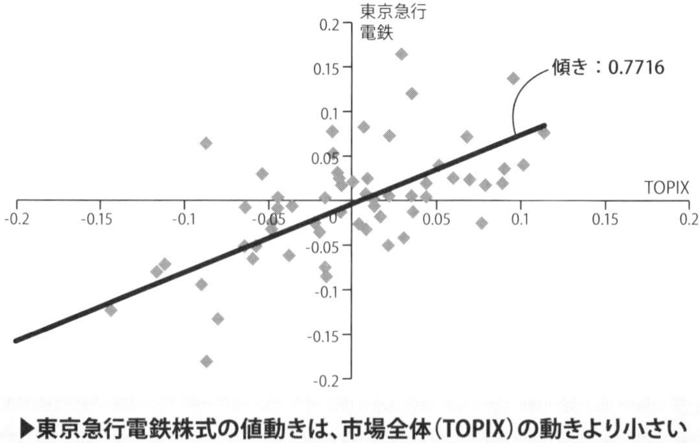

▶東京急行電鉄株式の値動きは、市場全体（TOPIX）の動きより小さい
＝リスクが小さい

ありません。一方、GMOインターネットの株価は、この5年間にわたって、ほぼ一貫してTOPIXをアウトパフォーム（上回る）していますが、逆に言えば、大きくアンダーパフォームする可能性も大きいということです。このようにチャートにするだけでも個別銘柄の株式の値動きが株式市場全体と比べて大きいか、または小さいか、感覚的に理解できると思います。

さらに、過去の株価データを用いればエクセルを使って簡単にベータを求められます。2008年1月から2013年1月までの5年間にわたる株価の月次データを使用して東京急行電鉄のベータを計算すると、0.7716になります。

図表6-11は、東京急行電鉄の株価とTOPIXに関する5年間の値動きの関係を表したものです。東京急行電鉄株式とTOPIXの月次終値について、前月と比べて当月はどれだけ増減したのか、その変動率（月次収益率）の組み合わせをプロットしています。

回帰分析の手法を用いて線形近似曲線を引くと、図表中の直線の傾きが0.7716になります。つまり、TOPIXが1%変動するときに東京急行電鉄の株価は0.7716%しか変動しないことを意味しています。東京急行電鉄株式の値動きのTOPIXとの乖離幅が小さいのは、同社の主要事業が安定した鉄道事業であり、同社の収益体質が相対的に景気の影響を受けにくいためです。したがって、東京急行電鉄の株式は、相対的にリスクの小さな株式であるということができます。

GMOインターネットのベータも見てみましょう。東京急行電鉄と同じ期間の同社の株価とTOPIXの値動きの関係をプロットしたチャートが図表6-12です。チャートの中に引かれた線形近似曲線が東京急行電鉄のものと明らかに違いますね。この直線の傾きは1.5163ですから、TOPIXが1%変動するときにGMOインターネットの株価は1.5163%も変動することを示しています。GMOインターネットの株価の値動きがTOPIXの値動きよりも大きくなる（感応度が高い）のは、同社の主要事業が変化と競争の激しいITサービスであり、同社の収益体質が相対的に不安定である（ブレやすい）

6-12. GMO インターネットのベータ（β）

▶GMO インターネット VS. TOPIX（5 年間の月次収益率）

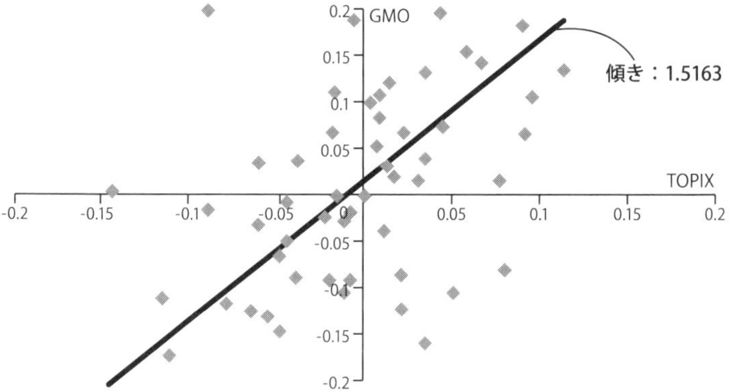

▶GMO インターネット株式の値動きは、市場全体（TOPIX）の動きより大きい
＝リスクが大きい

6-13. リスクと期待リターン

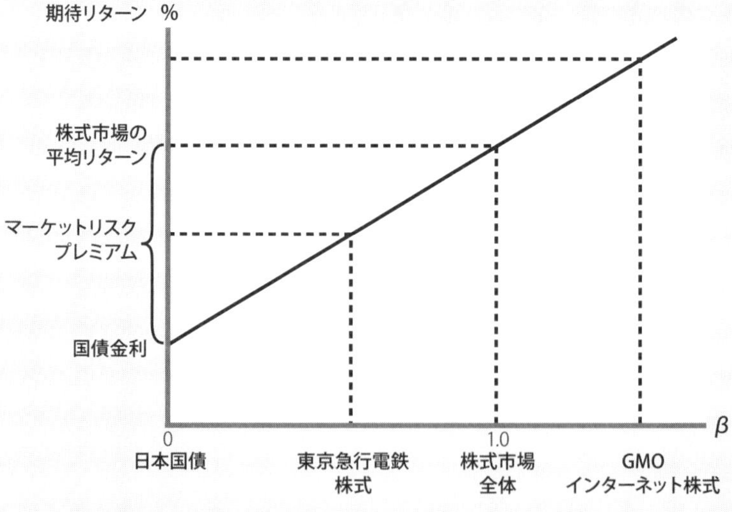

ことに起因しています（実際に業績が不安定という意味ではありません）。つまり、GMOインターネットの株式は、相対的にリスクの大きな株式といえるわけです。なお、国債は無リスク資産なのでベータはゼロです。

以上のことを踏まえて、改めてリスクと期待リターンの関係を考えてみましょう（図表6-13）。リスクのまったくない投資の代表格である日本国債の期待リターンがリスクフリーレートです。現在、10年物の国債利回りは1%にも満たない、きわめて低い水準です。これに対して、株式市場全体の期待リターンは、リスクフリーレートにマーケットリスクプレミアムを上乗せしたものとなります。過去30年～40年の間に計算されたマーケットリスクプレミアムは5%程度です。そして、ベータが1より小さな東京急電鉄株式の期待リターンは株式市場全体より小さく、ベータが1より大きなGMOインターネット株式の期待リターンは株式市場全体より大きくなります。このようにして見ると、改めて投資の大原則は「ローリスク・ローリターン」または「ハイリスク・ハイリターン」であり、ローリスクでハイリターンという投資など絶対にあり得ないことがわかると思います。

なお、上場企業のベータは、金融情報サービス会社（Bloomberg、Barra等）と端末利用契約を結び、提供する情報にアクセスすることができればそれらを利用して調べることができます。金融情報サービス会社を利用できなければ、東証で販売されているCD-ROM「TOPIX β VALUE」や「日経会社情報」でベータの実績値を入手することができます。

理論的には、ベータは予測値を使う必要がありますが、予測値を出すのは難しいので、

$$\text{実績ベータ値} \times \frac{2}{3} + \frac{1}{3}$$

を簡便的に予測ベータとするのが実務上の慣行です。

05 ターミナルバリューを計算する

いよいよ、DCF 法によって事業価値を求めるためにやるべき最後のステップ、「ターミナルバリューの計算」です。

事業価値を算出するために将来 10 年間のフリーキャッシュフローを予想するという場合、11 年目以降のフリーキャッシュフローの現在価値については、**「永久成長モデル」**という考え方でターミナルバリュー（TV）を計算するのが一般的です（図表 6-14）。

永久成長率では、10 年目のフリーキャッシュフローが一定の割合で成長

6-14. ターミナルバリューの意義

▶未来永劫の予想 FCF を求めることは不可能なため、ターミナルバリューを計算する

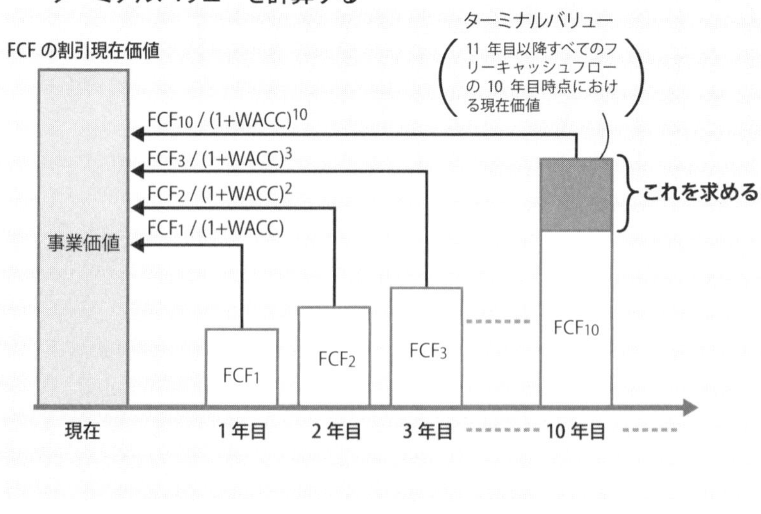

6-15. 永久成長モデルとは

▶10年目のFCFが11年目以降一定の割合で成長していくと仮定する

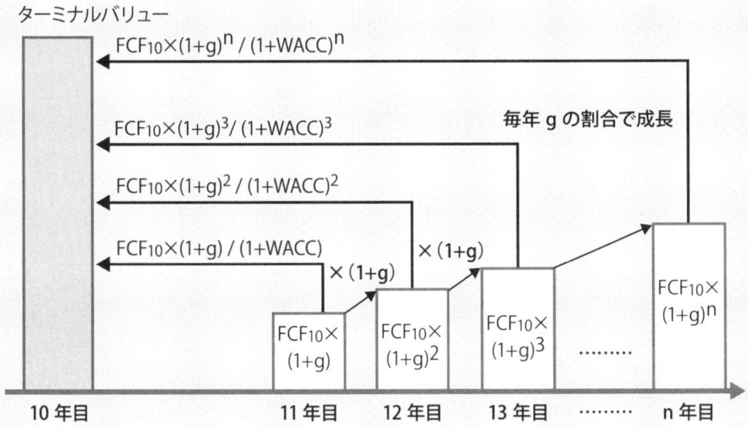

していくという仮定を設けてターミナルバリューを計算します（図表6-15）。

永久成長率モデルに基づくターミナルバリューの求め方は、ターミナルバリューをTV、最終予測期間のフリーキャッシュフローをFCF_{10}、永久成長率をgとすると、無限等比数列の和の公式を利用して、

$$TV = FCF_{10} \times \frac{1+g}{WACC-g}$$

と求められます（図表6-16）。

この計算式は、最終予測期間のフリーキャッシュフロー（上記算式のFCF_{10}）を用いてターミナルバリューを計算することを意味しています。仮に、最終予測期間のフリーキャッシュフローが3,000、永久成長率を1%、WACCを7%とすると、ターミナルバリューは、

6-16. ターミナルバリューは無限等比数列の和

$$\text{ターミナルバリュー} = \frac{FCF_{10} \times (1+g)}{(1+WACC)} + \frac{FCF_{10} \times (1+g)^2}{(1+WACC)^2} + \frac{FCF_{10} \times (1+g)^3}{(1+WACC)^3} + \cdots + \frac{FCF_{10} \times (1+g)^n}{(1+WACC)^n}$$

したがって、

ターミナルバリューは、

初項 $\frac{FCF_{10} \times (1+g)}{(1+WACC)}$

公比 $\frac{1+g}{1+WACC}$

とする等比数列の和として求められる

$$TV = FCF_{10} \times \frac{1+g}{WACC - g}$$

$$3{,}000 \times \frac{1 + 0.01}{0.07 - 0.01} = 50{,}500$$

と求められます。カンタンですね。

ところで、実務上、業績予想によっては、最終予想期間のフリーキャッシュフローを求める過程において、減価償却費と設備投資額が均衡していないケースがあります。合理的な企業は、本来、長期的に減価償却の範囲内で設備投資を計画するため、減価償却費と設備投資額がほぼ均衡するものと考えられます。したがって、ターミナルバリューを求めるときには減価償却費と設備投資額が均衡しているものとみなして、税引後営業利益から運転資本増加額のみを控除した数値をベースに計算するという方法が実務上採用されることもあります（図表6-17）。

このように算出されたターミナルバリューは、予測期間の最終年度のフリ

6-17. ターミナルバリュー計算上の注意

	10年目
営業利益	10,000
営業利益に係る税金	4,000
税引後営業利益	6,000
減価償却費	2,000
設備投資額	▲500
運転資金増加額	▲3,000
フリーキャッシュフロー	4,500

減価償却費と設備投資額が見合っていない。企業は、長期的には減価償却費の範囲内で設備投資を行なうと考えるのが合理的であるため、ターミナルバリューを計算する際は、両者をバランスさせる。

	調整後のFCF
営業利益	10,000
営業利益に係る税金	4,000
税引後営業利益	6,000
減価償却費	−
設備投資額	−
運転資金増加額	▲3,000
フリーキャッシュフロー	3,000

減価償却費と設備投資額がバランスしている（同額である）と仮定して、フリーキャッシュフローを計算する。

ーキャッシュフローに上乗せして、同じ割引率で現在価値に引き直されて事業価値を構成することになります（図表6-17）。

永久成長率を何パーセントにするかという点はコーポレートファイナンスの現場でも議論になる論点ですが、通常は、**中長期の物価上昇率と同程度**に設定されます（日本企業の場合は0%〜1%で考えればよいでしょう）。一時的には成長著しい企業であっても永遠に高成長を謳歌し続けることは非現実的ですし、少数のプレーヤーが利益を独り占めしている市場には多数のプレーヤーが新規参入を果たすことによって自然に超過利潤はなくなっていく、という経済学の原理にもとづけば、むしろ、長期的にはわずかな伸びでしか成長することができないと考えるべきでしょう。

06 キャッシュは株主より銀行から調達したほうがお得

企業に対する投資家には、銀行などの債権者と株式に投資する株主がいますが、その両者の利害には大きな違いがあります。

債権者と株主の利害の違い

債権者は、融資先の企業が大きく儲けようが赤字を出そうが、約束した利払い日にきちんと決められた金利を支払ってもらい、約束の返済期日に決められた額の元本を返済してくれることを期待しています。この点は、投資先の企業が大きく儲けたら株価が上がることで期待リターンも大きくなり、赤字を出して株価が値下がりすることで期待リターンまで小さくなってしまうかもしれない株主の利害とは大きく違います。それに、債権者が行なった融資は企業から返済されますが、株主の行なった投資は元本が企業から返済されることはなく、原則として、株主は第三者に転売する方法でしか投資を回収することができません（投資の一部は、配当や自社株買いの形で企業の保有するキャッシュが株主に戻ってきますが、配当や自社株買いを行なわない企業も存在します）。

また、万が一、企業が倒産によって会社を清算する場合、企業は債権者と株主に残余財産を分配しますが、このとき、債権者に対する弁済が優先されます。債権者に対する弁済がすべて完了した時点で、なお残余財産が残っているときに限って、はじめて株主にも分配されることになっています。通常、企業が倒産するような場合、債権者に対して全額弁済されることなどあり得ないため、株主にまで残余財産が回ってくるケースは皆無といっていいでしょう。

債権者と株主との間にはこのような利害の差が存在するため、企業に対して求める期待リターンも大きく異なります。

株主の期待するリターンは債権者より大きい

債権者は、利払いと元本の返済という安定的なリターンを求めており、かつ、株主より有利な立場が守られているため、求める期待リターンも「そこそこ」の水準ということになります。これに対して、株主は、債権者のような安定的なリターンは期待できないため、「リスクを取って投資している分、しっかりとしたリターンを上げてもらわないと困るよ」と考えています。そのため、株主の期待リターンは債権者のそれより必然的に高い水準となります。これが先ほどCAPMのところで見た構図です。

投資家にとっての期待リターンは、企業側から見ればキャッシュを調達する際に負担すべき資本コストになります。そのため、企業が債権者から借入でキャッシュを調達するときはそこそこの資本コストを負担すればよいわけですが、株主から増資によってキャッシュを調達するときは高い資本コストを負担する必要があります。

フリーキャッシュフローをWACCで割り引くことによって事業価値を計算するときの構造を思い出してほしいのですが、企業はWACCを下げることによって企業価値を向上させることができます（割引率が低いほど現在価値は高くなります）。したがって、WACCを下げるためには、株主資本でキャッシュを調達するより有利子負債でキャッシュを調達したほうがお得なのです。

07 有利子負債の節税効果

実は、キャッシュを銀行から調達したほうがお得な理由がもう1つあります。

有利子負債資本コストに関しては、契約書に記載されている借入金の金利や社債券面に印刷されているクーポンレートがそのまま資本コストになるわけではありません。

有利子負債の資本コストは、借入金利を r_d、実効税率を t とすれば、

$r_d \times (1 - t)$

となります。このことを理解していただくために簡単な数値例を使って説

6-18. 有利子負債資本コストの節税効果

▶借入の場合、金利は税務上、損金に算入されるため、節税効果がある

6-19. 借入金利の節税メリット

	借入の場合	株式の場合
金利・税引前利益	500	500
▲金利	**100**	0
税引前利益	400	500
▲税金(※)	160	200
税引後利益	240	300
▲配当	0	**100**
手許残金	**240**	**200**

※実効税率を 40% とする

▶借入金利 100 に実効税率 40% をかけた 40 の分だけ、借入によるほうがキャッシュフロー上有利になる

明してみましょう（図表 6-18）。

債権者が 100 の金利を受け取る場合と株主が 100 の配当を受け取る場合を比較すると、債権者と株主、どちらの投資家も 100 という金額のリターンを受け取っている点ではまったく同じです。ただし、100 というキャッシュを支払う企業にとっては大きな違いがあります。なぜなら、金利は税引前の利益から支払われるのに対して、配当は税引後の利益から支払われるからです。

投資家に対して同じ金額のキャッシュを支払う取引でも、企業側が配当を支払うためには金利を支払う場合より多くの利益を稼がないといけないのです。金利は税務上損金に算入されるため、その分だけ節税効果がありますから、100 という同じ金額の配当を支払う場合と比較して、実効税率を 40% とした場合、金利に実効税率をかけた 40（= 100 × 40%）だけキャッシュが浮くことになります（図表 6-19）。

このように、有利子負債の資本コストを求めるにあたっては、キャッシュが浮くことになる節税効果を考慮する必要があるのです。

08 企業価値を向上させるために有利子負債を活用する

企業価値の求め方は概ね理解できたでしょうか？　ここでは、ファイナンス戦略の大きな目的である企業価値の向上策について考えてみましょう。

185頁の図表6-3をもう一度見てください。DCF法の基本的なしくみから考えれば、経営者が企業価値を向上させようと思ったら、フリーキャッシュフローを大きくすればよいわけです。フリーキャッシュフローを増やすためには、売上高を増やす、コストを減らす、運転資金の回転率を上げるなどの方法が考えられます。

企業価値を向上させるもうひとつの方法は、割引率であるWACCを下げ

6-20. 財務レバレッジ効果

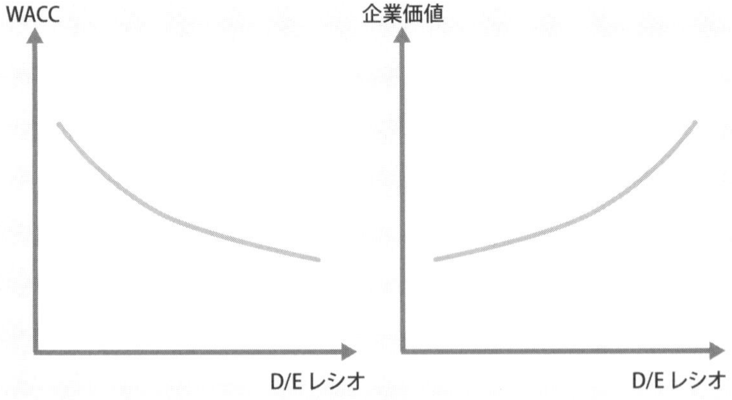

▶有利子負債を活用すると（財務レバレッジを効かせると）
WACCは下がり企業価値は向上する

6-21. 財務レバレッジの限界

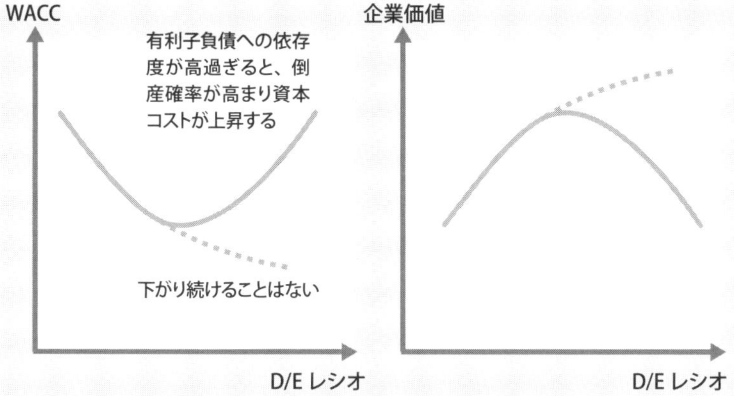

▶有利子負債を増やし過ぎると倒産確率が高まり、資本コストの上昇を通じて WACC が高くなる

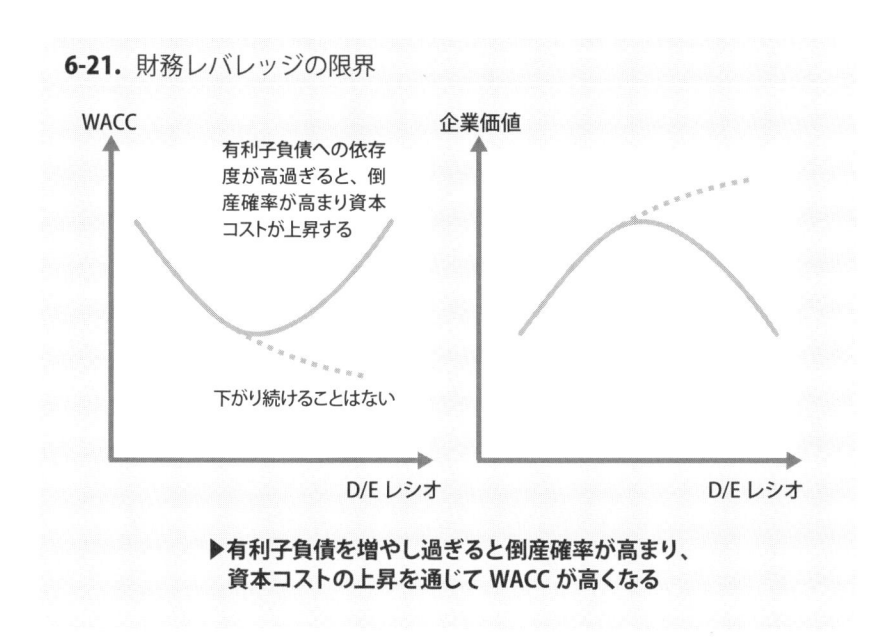

ることです。有利子負債の株主資本に対する割合を**「負債比率」**または**「D/E レシオ」**と呼んでいますが、WACC を下げるためには、資本コストの高い株主資本を減らして資本コストの低い有利子負債を増やす、つまり、D/E レシオを高めればいいわけです。有利子負債を有効活用することによって、テコの原理のように WACC を下げることをコーポレートファイナンスの世界では**「財務レバレッジを効かせる」**または**「財務レバレッジ効果」**などと呼んでいます（図表 6-20）。

ただし、実際は有利子負債への依存度が高くなり過ぎると、返済や利払いができなくなり、倒産する確率が高くなってしまいます。そうすると、現実の資本市場では、債権者も株主も高いリターンを求めるようになるため、有利子負債資本コスト、株主資本コスト、ともに上昇してしまいます。財務レバレッジを効かせればどこまでも WACC が下がり続けるということはないので、資本構成をどのようにするかはファイナンス戦略上とても重要なテーマとなります（図表 6-21）。

09 企業価値を求めてみる

さて、DCF法による事業価値の求め方を学びましたので、実際に事業価値を計算し、企業価値まで算出してみましょう。

事業価値を求めるプロセスは、たった3つのステップにすぎません。

①予想フリーキャッシュフローを算出する

②割引率（WACC）を設定する

③ターミナルバリューを求める

よろしいですか？　これはすべて復習ですよ。

ここでは、フリーキャッシュフローを求めるための情報として、図表6-22に示すデータがあるものとしましょう。表中「FY」とあるのは、Fiscal Year（事業年度）の略です。つまり、FY1は第1期、FY2は第2期ということです。なお、FY0は「現在」を表しています。

フリーキャッシュフローを求める

フリーキャッシュフローは、税引後の営業利益に減価償却費を足し戻し、設備投資額と運転資金の増加額を差し引くことによって求められます。図表6-22に示される将来5期間にわたる予想損益計算書から営業利益がわかっています。実効税率は40%ですから、営業利益に対する40%の税額を控除すれば、税引後の営業利益を簡単に計算することができます。また、減価償却費と設備投資額に関するデータも図表6-22に示されているとおりですから簡単です。あとは運転資金の増加額がわかればいいわけです。

6-22. フリーキャッシュフローを求めるための情報

▶予想損益計算書

	FY1	FY2	FY3	FY4	FY5
売上高	10,000	11,000	11,500	12,000	12,500
売上原価	4,000	4,400	4,800	5,000	5,200
売上総利益	6,000	6,600	6,700	7,000	7,300
販売費及び一般管理費	4,500	5,000	5,100	5,300	5,500
営業利益	1,500	1,600	1,600	1,700	1,800

▶設備投資等の計画

	FY1	FY2	FY3	FY4	FY5
減価償却費	1,000	1,000	900	900	900
設備投資額	1,000	1,000	500	500	500

▶実効税率

	FY1	FY2	FY3	FY4	FY5
実効税率	40.0%	40.0%	40.0%	40.0%	40.0%

運転資金というのは、売掛金、たな卸資産、買掛金のことですから、これらの勘定科目の期末残高さえわかれば算出可能です。運転資金の残高は、

売掛金残高＋たな卸資産残高－買掛金残高

ですから、各期末における予想運転資金残高は、図表6-23の下表となります。たとえば、第2期末の売掛金、たな卸資産、買掛金の各期末残高は、1,100、1,000、1,050ですから、第2期末の運転資金残高は

1,100 ＋ 1,000 － 1,050 ＝ 1,050

と算出されます。各期末の運転資金残高の差が増加額ですので、運転資金の増加額は図表6-23の下表のとおりとなります。

さて、ここまでのところで税引後の営業利益、減価償却費、設備投資額および運転資金の増加額がすべてわかっているため、予想フリーキャッシュフローは図表6-24のとおりに求められます。

6-23. 運転資金の増加額を求める

▶運転資金科目の期末残高

	FY0	FY1	FY2	FY3	FY4	FY5
売掛金	950	1,000	1,100	1,150	1,200	1,250
たな卸資産	850	900	1,000	1,100	1,150	1,200
買掛金	900	950	1,050	1,100	1,170	1,220

▶運転資金の増加額

	FY0	FY1	FY2	FY3	FY4	FY5
運転資金残高	900	950	1,050	1,150	1,180	1,230
運転資金の増加額		**50**	**100**	**100**	**30**	**50**

6-24. フリーキャッシュフロー（FCF）を求める

▶予想フリーキャッシュフロー

	FY1	FY2	FY3	FY4	FY5
営業利益	1,500	1,600	1,600	1,700	1,800
－営業利益に係る税額	600	640	640	680	720
税引後営業利益	900	960	960	1,020	1,080
＋減価償却費	1,000	1,000	900	900	900
－設備投資額	1,000	1,000	500	500	500
－運転資金増加額	50	100	100	30	50
フリーキャッシュフロー	**850**	**860**	**1,260**	**1,390**	**1,430**

WACC を求める

DCF 法により事業価値を計算するための第1ステップである予想フリーキャッシュフローを求めることができましたので、次に割引率であるWACC を計算することにしましょう。WACC を計算するための情報は図表6-25 のとおりです。もう一度、WACC の計算式をおさらいしますよ。

$$WACC = r_s \times \frac{E}{D+E} + r_d \times (1-t) \times \frac{D}{D+E}$$

E：株主資本

D：有利子負債

r_s：株主資本コスト

r_d：有利子負債資本コスト

t：実効税率

思い出しましたか？

それでは、まず、株主資本コスト（r_s）から求めていきましょう。株主資本コストの計算式は、

$r_s = r_f + \beta \times (E(r_m) - r_f)$

r_s：株主資本コスト

r_f：リスクフリーレート

β：ベータ

$E(r_m) - r_f$：マーケットリスクプレミアム

ですよ。

CAPM の算式でしたね。CAPM の算式を丸暗記しようと思っても、きっ

6-25. 加重平均資本コスト（WACC）を求める

▶前提条件

株主資本（時価総額）の金額	E	5,000
有利子負債の金額	D	2,000
10年国債利回り	r_f	1.5%
ベータ	β	1.2
マーケットリスクプレミアム	$E(r_m)-r_f$	5.0%
有利子負債の平均金利	r_d	2.0%
実効税率	t	40.0%

▶株主資本コスト

$r_f + \beta \times (E(r_m) - r_f)$	r_s	7.5%

▶加重平均資本コスト

$r_s \times E/(D+E) + r_d \times (1 - t) \times D/(D+E)$	WACC	**5.7%**

とすぐに忘れてしまいますから（笑）、投資家の思考プロセスで考えるクセをつけてください。

リスク選好度合いの強い株式投資家は、安全な投資対象である国債利回り（リスクフリーレート：r_f）を最低限期待したうえで株式市場全体の利回り（マーケットリスクプレミアム：$E(r_m) - r_f$）に投資対象銘柄のリスク度合い（β）を加味したリターンを期待します。

この計算式に当てはめると、株主資本コストは、

$r_s = 1.5\% + 1.2 \times 5.0\% = 7.5\%$

となります。

そして、加重平均資本コストWACCは、株主資本コストと有利子負債資本コストを株主資本の金額と有利子負債の金額で加重平均すればいいわけです。つまり、

$$\text{WACC} = 7.5\% \times \frac{5{,}000}{2{,}000 + 5{,}000} + 2.0\% \times (1 - 0.4) \times \frac{2{,}000}{2{,}000 + 5{,}000}$$

$$= 5.7\%$$

と計算されます。

ターミナルバリューを求める

予想フリーキャッシュフローとWACCを求めたら、DCF法により事業価値を計算するプロセスは最後のステップ、ターミナルバリューの計算を残すのみです。

ターミナルバリューの計算方法もおさらいしましょう。

$$TV = FCF_5 \times \frac{1 + g}{WACC - g}$$

FCF_5：最終予測年度（今回のケースでは第５期）のフリーキャッシュフロー

g：永久成長率

でしたね。図表6-24では第5期のフリーキャッシュフローは1,430と求められました。ところが、この期のフリーキャッシュフローの計算過程をよく見てください（図表6-26）。

フリーキャッシュフロー1,430＝税引後営業利益1,080＋減価償却費900
－設備投資額500－運転資金増加額50

となっています。減価償却費900に対して設備投資額は500となっており、アンバランスです。企業は長期的に見れば、減価償却費の範囲内で設備投資を実行していきますから、未来永劫、このようなアンバランスな形が続くことは考えられません。したがって、ターミナルバリューを計算するにあたっ

6-26. ターミナルバリュー（TV）を求める

▶前提条件

予測最終年度（FY5）のフリーキャッシュフロー	FCF_5	1,430
永久成長率	g	1.0%
加重平均資本コスト	WACC	5.7%

▶ FCF_5 の調整

	FCF_5	調整後 FCF_5
税引後営業利益	1,080	1,080
＋減価償却費	900	―
－設備投資額	500	―
－運転資金増加額	50	50
フリーキャッシュフロー	1,430	1,030

▶ターミナルバリュー

調整後 $FCF_5 \times (1+g)/(WACC - g)$	TV	**22,134**

ては、減価償却費＝設備投資額（両者ともゼロ）とみなして最終予測年度のフリーキャッシュフローを再計算します。その結果、予測最終年度のフリーキャッシュフローは、

1,080 － 50 ＝ 1,030

という調整をするほうが望ましいのです。

ここでは、永久成長率を現在の物価成長率の同程度と仮定し、1%としています。あとは、ターミナルバリューの計算式に当てはめてあげて、

$$1{,}030 \times \frac{1 + 0.01}{0.057 - 0.01} = 22{,}134$$

という具合にターミナルバリューを求めます。

事業価値を求める

フリーキャッシュフロー、WACC、ターミナルバリューの3つを求めることができたら、事業価値の計算は終わったも同然です（図表6-27）。第1期目から第5期目までのフリーキャッシュフローをWACCである5.7%で現在価値に割り引けばいいわけです。ターミナルバリューの22,134は、第5期目のフリーキャッシュフロー1,430と一緒に現在価値に割り引いてあげるのを忘れないようにしてください。5期それぞれの割引現在価値を合計したものが事業価値21,614になります。

企業価値と株主価値を求める

もう一度、181頁の図表6-1をご覧ください。事業価値に非事業価値を加えたものが企業全体の価値、すなわち、「企業価値」になりますよね？　ここでいう非事業価値は、手許に保有しているキャッシュや余剰資金で運用している有価証券投資などです。今、手許に保有しているキャッシュが500あると仮定すると、企業価値は、

事業価値21,614＋手許キャッシュ500 ＝ 22,114

と計算されます（図表6-28）。

この企業価値は、企業に対する投資家である債権者と株主に帰属します。したがって、企業価値から債権者の価値である有利子負債を控除すると、株主価値が求められるというわけです。そこで、株主価値は、

企業価値22,114 －有利子負債2,000 ＝ 20,114

と計算されます。この株主価値を発行済株式数（100株と仮定すると）で割ってあげたものが1株当たりの株主価値、つまり理論的な株価（201.14）となるのです。機関投資家は、このようにして求めた理論的な株価を1つのベンチマークとして市場の株価と比較しつつ、株式の売買を行なっています。

6-27. 事業価値を求める

▶事業価値

	FY0	FY1	FY2	FY3	FY4	FY5
フリーキャッシュフロー (FCF)		850	860	1,260	1,390	1,430
ターミナルバリュー (TV)						22,134
計 (=FCF+TV)		850	860	1,260	1,390	23,564
加重平均資本コスト (WACC)	5.7%					
割引現在価値		804	770	1,067	1,114	17,860
事業価値	**21,614**					

6-28. 企業価値と株主価値

▶前提条件

事業価値	21,614
＋手許キャッシュ	500
企業価値	**22,114**
－有利子負債	2,000
株主価値	**20,114**
発行済株式数	100
理論的株価	201.1

以上、本PARTでは事業価値の計算のやり方を学びました。事業価値の計算ができれば、それに非事業資産を足しこんでやれば企業価値になりますし、そこから債権者の取り分を差し引けば株主価値になります。まさに図表6-1を順に計算してきたわけです。

ここで再度PART 5を思い返しましょう。PART 5で登場したNPVとは、こうやって計算される事業価値と投資金額を比べるというものでした。PART 5では割引率を5%や10%といった具合に仮置きして計算していたわけですが、PART 6では割引率をWACCで計算し、より厳密に、そして実際の企業現場で使えるレベルの知識とスキルにしたにすぎません。そしてこの割引率であるWACCがIRRで言うところのハードルレートになるというお話です。ハードルレートを下回る事業投資ができないというのは、事業投資からのリターンが資本コストを下回ってしまうから、ということがご理解いただけるかと思います。

なお、実際の企業実務の現場では、WACCで計算される割引率にバッファーとして数%を上乗せした数値を割引率（ハードルレート）として用いていることが多いといえます。DCFで求められる事業価値は図表6-27からもわかるように、ターミナルバリューが占めるウェイトが非常に高くなっています。この例では、5年目以降のフリーキャッシュフローをいかに的確に予測するか、そして、5年目以降の永久成長率の数値をいくらかにするかが最終的な計算結果に大きな影響を及ぼします。よって、WACCに少しのバッファーを乗せたものを割引率としておき、それでもNPVがプラスとなるならばGOサインを出すというようにしておけば、ターミナルバリューの予測が多少下ぶれしても大丈夫ということになります。

PART 5、PART 6のつながりが理解できれば、もうあなたは今日から投資責任者になれますよ。

CFOをゲームで体感してみよう

Accounting
&
Corporate Finance

01 資金調達戦略を体感する

ゲームの概要

前のPARTでは、財務戦略に必要な理論を学びましたが、まだピンときていない方も多いかもしれません。そこで、またゲームを通じてカラダで学んでみましょう。

このPARTでは企業の資金調達の現場を体感してもらうために、PART 4同様、小樽商科大学の学部授業および社会人向けMBAの授業で行なったゲームを再現します。ゲームの流れをこのPARTで追うだけでも、企業が投資を行ない、資金提供者である債権者と株主に資金とリターンを戻すという一連の流れが理解できるはずです。少し発展させれば、WACCの計算まで体験できます。なお、このゲームは「経済セミナー2009年10・11月号」に掲載されていた敬愛大学和田良子教授による資金調達ゲームを独自にアレンジしたものです。

ゲームのセッティングは以下の通りです。

【ゲームのセッティング】

- 1チーム8名で構成（授業では5チーム～7チームほどできます）。
  - ▶くじ引きで、2名を経営者、2名を銀行、4名を家計とします。
  - ▶最初の保有資産

    経営者：ゼロ

    銀行：2,500万円（2名合計で5,000万円）

    家計：5,000万円（4名合計で2億円）

市場（1チーム）には合計2.5億円のキャッシュが存在します。

●ゲーム内容

▶経営者は起業して1年後に結果が出るあるプロジェクトに投資をします。必要な投資金額は1億円です。この1億円を銀行や家計から調達してください。

▶1年後に会社は閉鎖し、回収した現金を銀行と株主に戻します。1年後に保有資産の多いプレーヤーの勝ちです。ただし、経営者は他の経営者と、銀行は銀行同士で、株主は株主同士で競います（他のチームを含む）。プロジェクトは1回のみ実施します。

▶なお、経営者は必ず1億円を調達しないといけないわけではなく、調達できない場合はプロジェクトへの投資をしないということになります（その場合、各プレイヤーのリターンはゼロ）。

●経営者が選択可能なプロジェクト

7-1. 選択可能な4つのプロジェクト

プロジェクトA	実現確率	回収額	回収率
成功ケース	80%	11,000万円	110%
失敗ケース	20%	9,500万円	95%

プロジェクトB	実現確率	回収額	回収率
成功ケース	70%	12,000万円	120%
失敗ケース	30%	8,000万円	80%

プロジェクトC	実現確率	回収額	回収率
成功ケース	60%	13,500万円	135%
失敗ケース	40%	7,000万円	70%

プロジェクトD	実現確率	回収額	回収率
成功ケース	50%	16,000万円	160%
失敗ケース	50%	6,000万円	60%

▶それぞれのプランの成功確率、失敗確率、および1年後のリターン（銀行金利以外の費用を全部支払ったあとの現金回収額）は図表7-1のとおりです。

●ゲームでは国が1つ存在し、国は国債を1%のクーポンで発行します。銀行、家計は国債を購入することが可能です。

●企業は1株500万円で20株まで発行することができます。

状況は理解できましたでしょうか？　まだピンとこないかもしれませんが、ゲームをバーチャルに開始してみましょう。

以下のコミュニケーション、交渉、取引を同時多発的に行なってください。順序は問いません。再交渉などは何度行なってもかまいません。

【ゲームの流れ】

1. 経営者によるプロジェクト宣言。経営者はどのプロジェクトを選択するつもりか、銀行と株主に告げてください。

2. 家計には以下の4つの選択肢があります。①銀行に預金、②国債購入、③企業の株式購入、④タンス預金。それぞれにいくらを使うか考えてください。

3. 銀行には以下の3つの選択肢があります。①国債購入、②企業へ融資、③手許にお金を保有しておく。それぞれにいくらを使うか考えてください。

4. 銀行に預金をしたい家計は預金をしてください。預金金利は銀行と相談して決めてください。なお預金商品は1年定期預金のみとし、1年後には元本と預金金利は預金者に戻るものとします。

5. 銀行は預金をしてくれた家計に対して預金通帳を発行してください。預金金額と金利を書いて、預金者である家計に渡してください。

6. 株式を購入したい家計は、企業が発行する株式を購入してください。その際、期待する利回りを経営者に伝えてください。

7. 銀行と家計は国債を購入することもできます。

8. 家計は自身のポートフォリオを記録してください（いくらを国債購入に使って、いくらを預金して、いくらを企業の株式購入に充てて、いくらタンス預金しているかの記録）。

9. 銀行はもともと保有していた資金と預金者から預かった預金を元手にして、企業に融資を行なってください。貸出金利は2%、4%、6%、8%のどれかを適用してください（これ以外の金利は設定できません）。そして、銀行の貸借対照表の資産の部にどの企業にいくら貸したかを貸出金利と共に記入しておいてください。

10. 経営者は企業の貸借対照表を作成してください。銀行からの借入金は負債、家計から株式に投資をしてもらった分は株主資本（純資産）です。資産の部は工場5,000万円、機械5,000万円としてください。

11. 経営者は自分が受け取る報酬を株主と協議してください。報酬はプロジェクト終了後に会社に残っているお金（銀行と株主への分配が終わった後）から支払ってください（現実の世界では経営者への報酬を支払った後に銀行や株主へ分配することが多いですが、このゲームでは経営者への報酬は最後に支払うものとします）。

12. これらすべてのプロセスが完了後、経営者はプロジェクトの最終決定を行ないます。プロジェクト決定前であれば、上のプロセスは何度やり直してもかまいません。

13. プロジェクトの実施：経営者はプロジェクトのクジを引き、その結果に基づいて、投資金額を回収し、銀行と株主に資産を分配し、自らの報酬支払いを行なってください。

14. 銀行は預金者である家計に元本の返済と預金金利の支払いを行なってください。国債を保有していた銀行と家計は国から元本の返済と金利の支払いを受けてください。

ゲームでわかる「お金」の流れ

ついてきていますか？　ゲームのセッティングとゲーム内容を単純化して整理すると、図表7-2のとおりです。

ゲームでは、経営者になった人たちは、銀行融資と家計からの株式投資の2つによって資金を調達し、どの事業に投資するかを決めます。銀行は、企業に融資をするならば、A社なのかB社なのかを悩みます。貸したお金が返ってこないと悲劇ですので、なるべく返済確率が高そうな企業を選んで融資をするでしょう。

また、家計にしてみると、国債投資、銀行預金、そして株式投資にそれぞ

7-2. ゲームのイメージ（金額はスタート時）

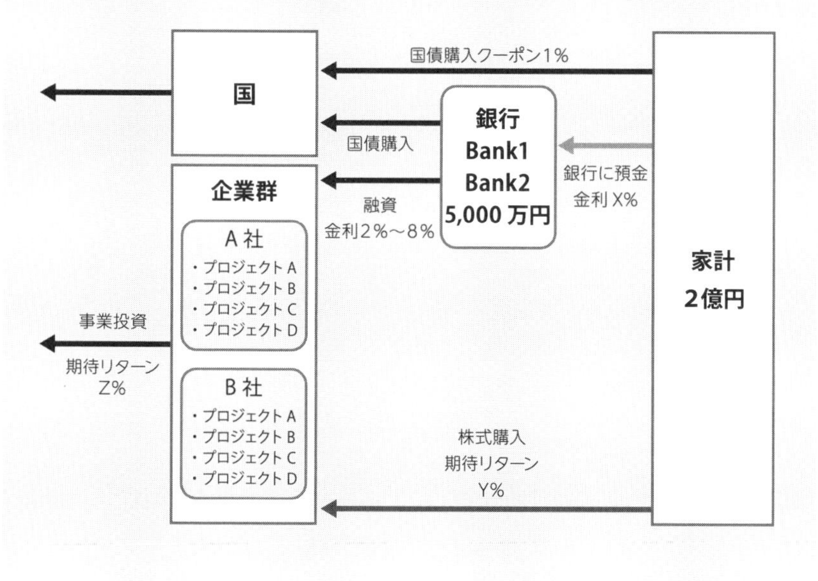

れいくらずつ割り振るか、というポートフォリオを考えます。こういう世界をゲームを通じて体感しましょう、ということです。

ゲームはある程度セッティングを単純化しないとできないため、このようなシンプルな設定にしていますが、より実際のお金のめぐりに近づけたイメージは図表7-3のとおりです。

日本の家計が保有する金融資産は合計で1,500兆円程度です。そして、国が抱える借金は1,000兆円程度（これはすべて国債発行によるものではありませんが）ですので、イメージしやすいように、その数字を入れておきました。

本書でも説明していますが、企業がお金を借りる手段としては銀行からの融資のみならず、社債を発行して借りることもできます。社債の購入者としては銀行や機関投資家が主たる存在です。機関投資家とは、年金や生損保な

7-3. より現実的なお金の流れ

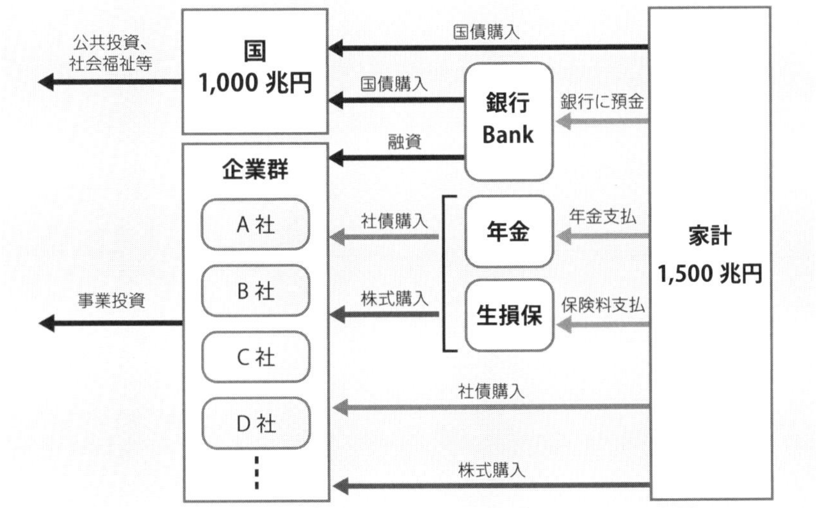

ど、そして図にはありませんが投資顧問や投資信託など、資産運用を生業としている機関が含まれます。家計のお金はこれらにも流れていますので、われわれの保有する 1,500 兆円の金融資産は何らかのルートで右側から左側に流れているわけです。その際、左側の国や企業は日本のみとは限らず、海外の国や企業も投資対象となってきます。

企業がたくさん収益を上げてくれれば、従業員の給料が増えて、従業員は家計でもありますので、右側の金融資産が増えます。また、企業がきちんと利払いを行ない、株価アップや配当支払いで株主にリターンを提供すれば、最終的な投資家である家計に戻るお金も増えるでしょう。そうすると、企業や国に回すお金が増えるので、ぐるぐると好循環が生まれます。

さて、ゲームに話を戻しましょう。

プロジェクトはＡ～Ｄまで４つあります。Ａが最もローリスク、Ｄが最もハイリスクであることは、PART 4で学んだ標準偏差（または分散）を計算すればわかります（わざわざ計算しなくとも直感でわかると思いますが）。

企業にお金を融資する銀行にしてみると着実にお金を返済してほしいわけですので、リスクの低いAを好むはずです。一方、多くの経営者は、Aだと面白くない、B、C、Dなどリスクの高いものにチャレンジしたいという欲望がむくむくと湧いてきます。特にこれはゲームなので、ギャンブルをしたい欲求が平常時より大きくなります。

また、家計にしても、国債購入や銀行の預金ではたいして稼げないので、株式投資の部分は多少リスクを取りたいと考えます。ゆえに、A以外のプロジェクトを好む傾向にあります。プロジェクトの選択に当たっては、このようにリスク選好度合いの異なる利害関係者同士でどのプロジェクトにすべきか交渉をすることになるので、否応なしにゲーム会場はヒートアップします。

02 生保の逆ザヤ、銀行の収益の裏側も体感できる

「逆ザヤ」はどのように起こるのか

さて、家計から銀行への預金について考えましょう。

現実の世界では、預金金利は銀行が一方的に決めるものであり、家計（預金者）と交渉して決まるものではありません。ただし、あることを体感してもらいたくてここは交渉事にしました。

学部のあるチームで起こったことをご紹介します。このチームでは、家計から銀行への預金金利は3%に設定されました。一方、銀行から企業への融資の利息は2%に設定されました。何が起こっているでしょうか？

7-4. 逆ザヤのイメージ

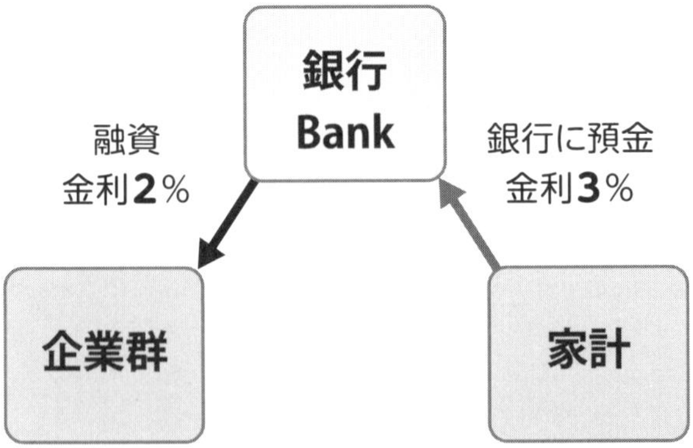

預金金利よりも融資する際の金利のほうが低いため、この状況だと銀行は企業にお金を貸せば貸すほどに1%の金利分の損をすることになります。いわゆる**逆ザヤ**状態です。逆ザヤは以前生命保険会社で深刻な問題となりました。景気の良かった時代に契約した保険商品では、保険契約者に対して高い利回りを約束していたものが（たとえば年率5%など）、バブル後に景気が悪くなって、株式投資をしても債券投資をしても高い利回りで運用することが困難となり、逆ザヤとなってしまったのです。それがバブル後の生保の経営を圧迫していったわけです。

ゲームを通じて、これが逆ザヤかぁと受講生たちは身を持って学習することになりました。

そして、銀行は国債ばかりを買うようになった

他方、企業に対してあまり高い金利で貸すことができなかった銀行のプレーヤーたちは国債をごっそりと購入していました（逆ザヤではありませんでした）。これはまさに最近の日本の様子と同じです。

どんなに金利を低くしても資金需要がなく企業がお金を借りてくれないため、銀行は国債を購入しています。日本の銀行の預貸率（預金のうち何%を貸し出しに回しているかの割合）は7割程度です。3割のお金は貸し先がなくて困っているということになります。これらのお金が国債購入に流れるわけです。そして皮肉なことに、2012年の銀行の決算を見ると、この国債投資からの利益が銀行の収益を支えている状況でした。家計からの預金の預金金利は限りなくゼロに近い状態ですので、銀行はほぼタダでかつ無リスクでお金を調達して国債を購入し、そのサヤ抜きで儲けているわけです。なんとオイシイ商売でしょうか。

かつては、銀行が企業の成長投資のためのお金を貸し出して、経済成長のサポートをしたわけですが、今は国が借金漬けになるお手伝いをしているという状況です。何とか早く正常な状態に戻ってもらいたいものです。

03

残余財産の分配順位も体感できる

債権者のほうが株主よりも優先される

話がそれました。再び図表7-1です。今度は経営者のプロジェクト選択に話を戻します。それぞれのプロジェクトの期待値はいくらでしょうか？　A、B、C、D、それぞれ7%、8%、9%、10%ですね。たとえば、プロジェクトAのケースなら、

80% × 11,000 + 20% × 9,500 = 10,700

となるので、平均で7%のリターンと計算できます。これら期待値がプロジェクトに投資をした際の平均的なリターンということになります。同じ期待値であれば、リスクが小さいほうがいいということはPART 4で見ました。しかし、今回は期待値が異なるのです。そしてこの期待値の計算過程では、リスクはすでに織り込まれています。よって、普通に考えれば期待値の最も高いプロジェクトに投資をするのが合理的なように思えます。実際、ゲームを実施した社会人MBAのクラスではプロジェクトDを選択した経営者が最も多かったです（実際は、成功したときのリターンが60%であるという点に心が惹かれた経営者が多かったようですが）。

もうひとつ、経営者がプロジェクトDを選択した理由があります。それは、銀行がプロジェクトDを選択することに寛容だったからです。プロジェクトDで失敗した場合でも、6,000万円は回収できます。たとえば銀行2行が企業に融資した合計金額が5,000万円であれば、満額返済することが可能で

す。利息を払うことも可能です。そして、残ったお金を株主で分けます（ほとんどお金は残りませんが）。株主のみが大損をし、銀行は無傷という状況です。

これは、残余財産を分配する際に、債権者のほうが株主よりも優先的な立場にあるから（181頁参照）、ですよね。債権者が優先されるということは法律上規定されていますし、授業でも説明しています。しかし、実際にそういう現場に直面することはあまりないため、つい忘れてしまいますが、ゲームをやってみると「なるほどな」と体得することができます。

実際、プロジェクトを実施してお金を分配する段階になって、「はて、このお金、誰に最初に分配するんだっけ？」と悩む経営者役が実は多いです。そして、株主に分配する際も、出資割合に応じて分配するわけですが、これについても「はて、どうするんだっけ？　経営者が勝手に誰にいくら戻すって決めていいんだっけ？」なんて言う経営者役もたまにいます。授業ではふんふんと聞き流していたことが、いざ実践となって初めて身を持って理解するわけです。

担保や保証人の重要性

一方、こんな感想もありました。経営者が銀行からの融資で7,000万円を集め、家計（株主）から3,000万円を集めたチーム。経営者がプロジェクトDを選びたいというので、銀行はそんな失敗確率が高いプロジェクトを選ぶのであれば、高い金利を要求しようということで10%を超える金利を要求しました。プロジェクトの結果は失敗。6,000万円しか回収できません。それを銀行の元本返済に充てるわけですが、1,000万円足りないので当然ながら満額は戻りません。

そこで銀行役だった受講生が気づきました。「金利をいくら高くしても失敗したら意味がなかったんだ。融資する金額を抑えておくべきだった」と言います。まさにそのとおりです。失敗した場合に融資金額の元本割れをするような状況では、金利をいくら釣り上げても意味をなさなくなります。したがって、元本割れする可能性があるような場合は、保証人を付けるとか、担保を別にとるとか、そういう行動をする必要があります。

実際、学部向けの授業ではこの資金調達ゲームは２回バージョンを変えて実施するのですが、ひとつのバージョンでは、失敗した際の回収金額をゼロに設定します。そして、担保や保証人の重要性を体得してもらいます。なるほど、だから銀行は担保や保証人を重視するんだ、と彼らは納得顔になります。

04 資金調達ゲームで WACCも腑に落ちる

資金調達コストの重要性

最後に、プロジェクトの選択について考えてみましょう。もう一度図表7-1を見てください。企業の資金調達ルートは銀行融資と家計による株式投資です。たとえば、銀行が1円も貸してくれない状況を想定してみましょう。1億円全額を家計からの株式投資で資金調達をします。株主の期待リターンが15%だとします。この状況で経営者がプロジェクトAを選択し、成功したとしましょう。さて、どうなるでしょうか？

事業で10%のリターンを上げて1.1億円になりましたが、これを全額株主へのリターンに充当しても株主のもともとの期待リターンは15%だったわけですから、株主は不満です。先ほどは預金金利と融資の金利での逆ザヤを見ましたが、それと同じような状況になってしまいます。事前にどういう約束にしておくかにもよりますが、経営者報酬がゼロという可能性もあります。

一方、必要資金を全額銀行融資で金利は2%で調達できたとしましょう。同じようにプロジェクトAに投資をして10%のリターンを上げて、利息の2%を支払っても8%のネットリターンが残ります。ゲームではこれをまるまる経営者の報酬とすることもできます。

つまり、**事業からの投資リターンが同じでも、資金調達のコストが違えば、最終的な結果もまったく違う**ということがわかります。資金調達コストが企業にとって重要であるということが理解していただけるのではないかと思います。たとえば、「5,000万円を金利2%の銀行融資で、残り5,000万円を要求リターン6%の株式投資で調達したケース」と、「5,000万円を金利4%の銀行融資で、残り5,000万円を要求リターン8%の株式投資で調達したケース」、あなたが経営者ならどちらを好みますか？　前者の平均資金調達コストは4%、後者は6%となりますので、みなさん前者を選ぶことでしょう。

では、

① 3,000万円を金利3%の銀行融資で、残り7,000万円を要求リターン8%の株式出資で調達したケース
② 4,000万円を金利2%の銀行融資で、残り6,000万円を要求リターン10%の株式出資で調達したケース

この2つだとどちらがいいですか？

資金調達コストを加重平均で計算することになりますね。

①は（3,000 × 3% + 7,000 × 8%）/ 10,000 = 6.5%

②は（4,000 × 2% + 6,000 × 10%）/ 10,000 = 6.8%

ということで、①のほうがよさそうです。

さて、お気づきになりましたか？　この計算過程はまさにPART 6でやったWACCの計算です。WACCの説明を聞いたときは「ん？　なんだ？」と思ったかもしれませんが、ゲームを通じてこのように体得することができます。

なお、ここで計算した資金調達コストでは、銀行の金利をそのまま負債コストとしていますが、実際はPART 6で学んだように負債コストには節税効果があります。よって、実際の資金調達コストはもう少し低くなります。前述の5,000万円を金利2%の銀行融資で、残り5,000万円を要求リターン6%の株式出資で調達したケースでは、便宜的に4%を平均資金調達コストとしましたが、実際には、

（5,000 ×（2% ×（1 − 40%））+ 5,000 × 6%）/ 10,000 = 3.6%

となります（税率を40%と仮定しています）。

他も全部同じで、ケース①では、

（3,000 ×（3% ×（1 − 40%）＋ 7,000 × 8%）/ 10,000 = 6.14%

となります。また、ケース②では

（4,000 ×（2% ×（1 − 40%））＋ 6,000 × 10%）/ 10,000 = 6.48%

となります。

ゲームで、経営者の報酬を銀行や株主への分配後としているのは、WACCを計算する機会を与えるためです。多くのチームは、残ったお金を全額経営者のものとする、という形で経営者報酬を決定します。すると、経営者報酬がいくらになりそうかを計算しようと思えば、おのずとWACCを計算しないと出てこないわけです。ゲーム実施後に受講生に感想を聞くと、これでやっとWACCがわかったと言います。

05 最適資本構成も探ってみよう

ここまでゲームをやってくると、参加者はWACCが一番低い形で資金調達をしようという頭になってきます。そういう資本構成のことを**最適資本構成**と言います。負債と株式の最適バランスのことであり、資金調達コストが最も安いポイントです。

ゲームの中でこれを実現しようとすれば、全額銀行融資で調達するのがいい、ということになります。果たして本当にそれでいいのでしょうか？　借金だらけの会社です。授業では受講生たちから、

「やっぱりそれはダメだ。そんな借金漬けの会社ならそもそも銀行は融資したくないはず」

「借金の金額が大きいと倒産する可能性も高くなるから、金利も高くなるのでは？」

というコメントが出てきます。まさにそのとおりですね。ゲームでは便宜的に銀行の融資金利の上限を8%にしていましたが、倒産リスクが高まるなら金利はもっと高くなるでしょうし、失敗した場合に元本が戻ってこない可能性があるなら、銀行はある一定以上の金額は融資をしないという選択をする可能性もあるでしょう。これ以上融資をしないということは、借入のコストが無限大に大きいとも言えます。まさにPART6の8節で説明したとおりです。

最適資本はイザというときに困る!?

したがって、WACCと借入金の割合をグラフにすると、PART6でも見

7-5. 最適資本構成とは

▶理論的には WACC が最小となるポイントだが…

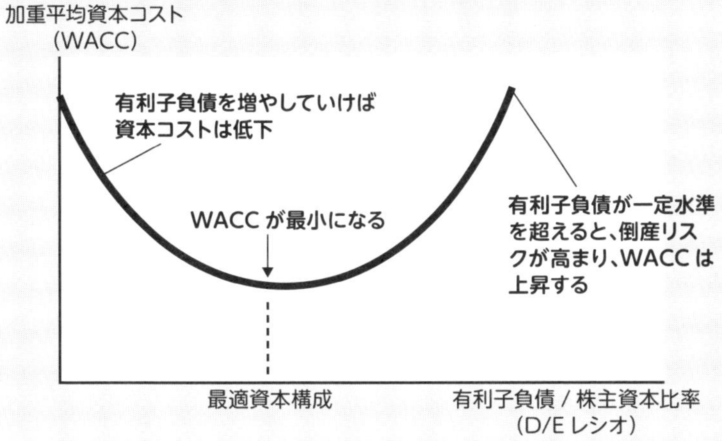

ましたが、図表 7-5 のようになります。実際はもっとなだらかな U 字型になりますが、これはわかりやすいように極端な U 字型にしてあります。

そして、実際は、この最適資本構成を実現している企業はほとんどありません。多くの企業は最適資本構成よりも少し左側に位置しています。なぜかと言えば、最適資本構成のポイントまで借入比率を増やしてしまうと、もし突然景気が悪くなって資金調達環境が悪くなったりしたときに困るからです。たとえば、リーマンショックのような事態が突然襲ってくると、銀行は融資額を減らそうとしてきます。そんなときに、借入金を目いっぱい使ってしまっていると、資金繰りで大変な目にあうことになります。したがって、借入余力をある程度はキープしつつ（最近では無借金企業も多いですが)、ある程度 WACC の低下も実現するという企業が多いというわけです。

企業が自社株買いをするわけ

なお、無借金であれば財務安定性は非常に高いですが、WACC は高くなりますので、事業で実現すべきリターンも高くする必要があります。本書では詳しく触れませんが、配当と並ぶ株主還元の手段のひとつに**自社株買い**があります（株主還元や、それが株式に与える影響については、保田による『実況 LIVE 企業ファイナンス入門講座』をご参照ください)。企業が自社株買いをする理由はさまざまで、たとえば市場の株式の需給関係に刺激を与えて株価を買い支えるため、あるいは、株数を減らして1株当たり利益を高めるためなどありますが、ひとつにはこの WACC を低くさせるため、という目的もあります。

WACC が低くなると何が嬉しいかと言うと、PART 6でも見ましたが、これは DCF で企業価値を算出する際の割引率として用いられますので、企業価値が上昇します。その分株価も上がり、既存株主が喜ぶというわけです。

さすがに自社株買いのあたりまでをゲームに組み込むことはできませんが、CFO（最高財務責任者）の日々の業務の一部を垣間見ていただくことはできたのではないでしょうか？

本書のまとめ

ファイナンスの世界で迷子にならないために

ここまで会計の基本的な知識を含めて、ファイナンスの各論について学んできました。ファイナンスを勉強したことのある方の感想として多いのは「ひとつひとつのファイナンス理論についてはおもしろかったし、よく理解できました。ただ、それぞれがどのように役に立つのか、実務でどのように使ったらよいかがわかりません」というものです。

ファイナンス戦略の目的というのは繰り返しお伝えしていますが、「企業価値の向上」という極めて単純なことです。これまでのPARTで勉強してきたこともそれほど難しいものではありません。ただ、ファイナンスは、各論を突っ込んで勉強していると、ファイナンスの世界の全体像の中でどの部分を学んでいるのかという自分の居場所を見失い、迷子になってしまいがちです。気をつけないと「木を見て森を見ず」の状態になってしまうのです。

本書の読者の方もそのような状態になっているかもしれませんので、本書の最後に、ファイナンス戦略の全体像を整理することによって、これまで学んできたことのおさらいをしてみましょう。

企業はキャッシュを調達して事業に投資する

企業の経営活動は、投資家からキャッシュを調達して、事業に投資することによってリターンを追求することで成り立っています。企業が資金調達をするときも投資を行なうときも、忘れてはならない視点はファイナンス戦略の目的である「企業価値の向上」です。どのように調達すれば企業価値が向上するのか、どのように投資を行なえば企業価値を向上させることができるのか。ファイナンス戦略は、どんなときも「企業価値の向上」がテーマであることを忘れないでください。

利益・キャッシュをどう増やすか ～収益性と生産性～

企業は投資家から調達したキャッシュを事業に投資することによって、少しでも多くのキャッシュを獲得する必要があります。本書のPART3では、会計の基本的な知識をベースにしたテクニックを使って利益を上げるツボをご紹介しました。

一般的なファイナンスの本では、「企業価値を向上させるためにはキャッシュフローを増やせばよい」とは書かれているものの、「それではいったい、どうやってキャッシュフローを増やせばよいのか」ということまでは説明されていません。そこで、本書ではせっかく学んだ会計を「儲けるため」に使っていただこうと、会計とファイナンスの橋渡しとなるような視点について触れています。

無味乾燥とした数字の羅列に見えるP/Lをシンプルなボックス図に変換するだけで企業の儲けの全体像を俯瞰できますし、経営の現場の人たちでも利益を生み出すための打開策を簡単に理解することができるようになります。

また、多くの会社において、売上・原価・粗利に関するデータさえあれば、それらをほんのちょっと加工するだけで利益を増やしてキャッシュフローを改善する施策を導いてくれます。

さらに、ROAやROICを用いて収益性と生産性を分析することによって、企業がキャッシュフローを改善するために明日からやるべきことを明らかにしてくれます。

Summary. ファイナンス戦略の全体像

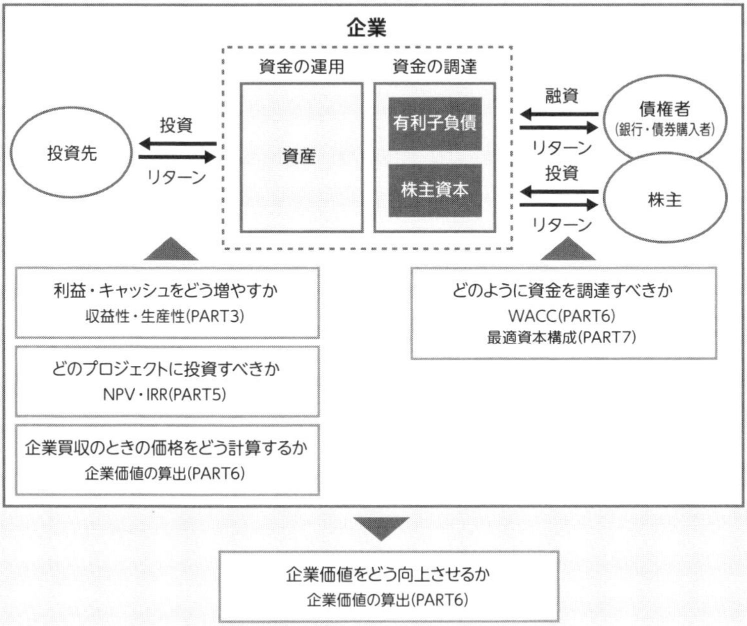

どのプロジェクトに投資すべきか
～NPVとIRR～

企業は投資家から調達したキャッシュを事業に投資してリターンを追求します。その際、どのようなプロジェクトに投資すればよいのか、といった疑問に指針を与えてくれるのがNPVとIRRです。

NPV法によれば、NPVがプラスであれば投資を実行すべき（NPVがマイナスとなれば投資を見送るべき）ですし、IRR法によるときは、IRRがハードルレートより高ければ投資を実行すべき（IRRがハードルレートより低ければ投資を見送るべき）、という結論が導かれます。それは、NPVがプラスとなるプロジェクト、または、IRRがハードルレートより高いプロジェクトに投資をすれば企業価値が向上するからです。

企業買収のときの価格をどう計算するか
～企業価値の算出～

本書では、企業買収については触れていませんが、企業の株式を買収する際の価格はPART6で学んだ企業価値の算出方法で求めることができます。中小オーナー企業の事業承継の際、第三者へ株式を売却するという道が選ばれることがありますが、このようなときにも企業価値の算出方法で株式の売却価格を求めることができます。

どのように資金を調達すべきか
～WACCと最適資本構成～

企業価値は、将来の予想キャッシュフローを一定の割引率で現在価値に割り引くことによって算出される、と学びましたよね。この場合の割引率としては、加重平均資本コスト（WACC）を用います。WACCの求め方についてはPART6で触れていますので、もう一度復習してみてください。

企業価値の計算構造からわかるように、企業価値は、予想キャッシュフローを増やすだけでなく、WACCを下げることによっても向上させることが可能です。WACCを下げるためには資本コストの低い有利子負債で調達すればよいわけですが、有利子負債に過度に依存することは倒産リスクを反映して資本コストが反転して高くなってしまいます。PART7では、WACCをもっとも低い水準にするための最適資本構成について触れています。

企業価値をどう向上させるか

以上でおさらいしたことは、すべて企業価値を向上させるために実行するファイナンス戦略の具体的な打ち手にほかなりません。具体的なファイナンス戦略の打ち手を実行することによって、自社の企業価値はどのように向上するのか。それはPART6で学んだ企業価値の算出方法を用いることによって導き出すことができるのです。

参考図書

本書は、会計とファイナンスのつながりを理解し、企業のゼニを増やすための本だと「まえがき」で紹介しました。逆に言えば、それ以外の点に関してはあえて削ぎ落として構成しています。また、私たちのこれまでの著書をお読みいただいた方でも楽しんでいただけるように、それらの本との重なりをなるべく少なくした、という側面もあります。

そこで、本書を読んだ後、もう少し学びたいという方のために、何冊かオススメしたい参考図書を挙げておきます。

なお、参考図書の一部は保田の著書『いちばんやさしいファイナンスの本』（日本能率協会マネジメントセンター）で紹介したものと重なります点、ご了承ください。

会計・決算書に関する参考図書

皆さんが今読み終わったばかりの本書では、「企業価値の源泉となるキャッシュフローとはなんだ？」ということを理解することを最大の目的として、財務３表のつながりを理解しました。

キャッシュフローと関連性の深い運転資金、あるいは減価償却費などを中心に見ましたが、財務３表をきちんと理解したい、あるいは財務３表から読み取れるその他の経営分析指標を知りたい、というニーズに応えてくれるのは以下の書籍です。いずれも、会計や決算書に対してアレルギーがある方でもやさしく学べる内容です。

初級者向け

『アカウンティングゲーム　レモネードスタンドで学ぶフレッシュ会計入門』

ジュディス・オルロフ、ダレル・ミュリス（プログレス出版）

タイトルのとおり、会計の入門書ですが、ゲームをする感覚で学べるというものです。その内容は、読者である「あなた」が小学生に戻り、夏休みを利用して自宅の前で期間限定のレモネードスタンドを作って商売をし、その過程を決算書にしていくというワークブックです。おのずと、損益計算書、貸借対照表、そしてキャッシュフロー計算書の仕組みがわかる作りになっており、アメリカでは多くの企業の研修で用いられているものです。

小学生でもわかるように売上や費用が計上され、資産や負債、そしてキャッシュフローについて理解を進めていきます。小学生が理解できないような細かいお話は出てきませんので、どんな会計嫌いの人でも簡単に理解することができ、「むしろ簡単すぎて意味がない」と思ってしまうかもしれません。ただ、仕組み自体は簡単すぎるのがまさに決算書の分野であるにもかかわらず、簡単すぎると思わせることができる書籍がほかにないことを考えると、この本の素晴らしさが改めて理解できます。

初級者向け

『財務３表一体理解法』　國貞克則（朝日新書）

初中級者向け

『財務３表一体分析法』　國貞克則（朝日新書）

『財務３表実践活用法』　國貞克則（朝日新書）

國貞さんによる財務３表の３部作です。最初に登場したのが『財務３表一体理解法』ですが、こちらは保田が小樽商科大学ビジネススクールでコーポレート・ファイナンスの授業の受講生に、授業開講までに読むようにと指定している書籍です。どんな会計の授業よりもわかりやすく、本質をついているのではないかと思います。

これで決算書の基本を理解すれば、ほかの本は特に必要ないと思います。『財務３表実践活用法』の内容は本書の内容とも重なる部分が多く、より理解が定着することでしょう。

初級者向け

『稲盛和夫の実学　経営と会計』　稲盛和夫（日経ビジネス人文庫）

あの京セラの稲盛氏による著作です。まさにタイトルどおりの「経営にどう会計を生かすか」という視点で書かれています。まえがきに「会計がわからんで経営ができるか」という思いで執筆したとあるように、まさにそういう姿勢が感じられます。解説本なのに、稲盛氏の語り口調で書かれるとなぜかすっと腹に落ちます。会計全般の知識がどう経営につながっているかを理解するには最適な書物です。

初級者向け

『50円のコスト削減と100円の値上げでは、どちらが儲かるか？』
林總（ダイヤモンド社）

『餃子屋と高級フレンチでは、どちらが儲かるか？』というベストセラーの著者によるシリーズものです。ストーリー仕立てで、会計情報を活用した経営改善手法について解説しています。ストーリーで経営改善を疑似体験したい、という方にはうってつけの本です。

初中級者向け

『会計力と戦略思考力』　大津広一（日経ビジネス人文庫）
『ファイナンスと事業数値化力』　大津広一（日経ビジネス人文庫）

ともに肩付に「ビジネススクールで身につける」という言葉が入っているように、ビジネススクール（MBA）の教室にいるような感覚で解説（講義）が進んでいく書籍です。特に大企業、上場企業に勤務されている方にとっては、登場する事例が身近に感じることと思います。前者は会計から経営戦略に迫り、後者はファイナンスから経営戦略に迫るという形となっています。本書の次にチャレンジしていただく本としては、まさにうってつけの2冊になります。

初中級者向け

『実学 中小企業のパーフェクト会計』 岡本吏郎（ダイヤモンド社）

決算書を読みこなすための本というよりは、「会計をいかに使うか」をテーマに書かれたきわめて実践的なテキストです。また、タイトルに「中小企業」とあるとおり、中小オーナー企業、ベンチャー企業の経営者に役に立つのはもちろんですが、上場している大企業でも使える分析手法が満載された1冊です。

コーポレート・ファイナンス、M&Aに関する参考図書

初級者向け

『図解　株式市場とM&A』 保田隆明（翔泳社）

主人公である「あなた」が脱サラしてカフェを開業。カフェチェーンの経営者となって株式公開、M&A、そして敵対的買収を経験する物語を通じて、コーポレート・ファイナンスやM&Aの分野で起こる代表的な出来事を解説する本です。出版から8年経過していますが、2013年に入っても増刷がかかりましたので、普遍的な内容を網羅しているといえるのでしょう。

初級者向け

『ざっくり分かるファイナンス』 石野雄一（光文社新書）

そのタイトルの通りの書籍で、特にコーポレート・ファイナンスの分野をざっくりと解説してくれます。しかし実際の内容は、ざっくりどころか、きちんと解説されており、特にWACCや資本コストに関しては結構な分量を割いています。

初中級者向け

『実況LIVE　企業ファイナンス入門講座』　保田隆明（ダイヤモンド社）

企業の成長ステージに応じて、どういうコーポレート・ファイナンス、M&Aの戦略を取れば企業価値の最大化につながるかを解説し、ビジネスの意思決定に役立つ財務戦略の基本をカバーしています。また、財務理論の解説にとどまらず、日本企業にとっては新しい分野であるIR、株主還元政策についても、証券会社出身者ならではの解説をしました。

中級者向け

『道具としてのファイナンス』　石野雄一（日本実業出版社）

ファイナンスの理論を理解しても実務には使えないと思った著者が、ビジネスの現場での実務に使える本として書いたものです。日産自動車の財務部での勤務経験を活かし、職場でのファイナンスの実務を解説しています。さながら、財務部での仕事内容を垣間見るようです。財務部に勤務するビジネスパーソンや、事業部で投資プロジェクトの収益性を算出する立場にある人などに向いています。

さらっとファイナンスの分野を理解したい人向けではなく、実務でファイナンスの分野に携わる人の「きちんと理解したい」というニーズに応えてくれる本です。

中上級者向け

『経営財務入門』　井手正介、高橋文郎（日本経済新聞社）

日本人が書いた日本語のコーポレート・ファイナンスの教科書という位置づけでは代表格です。大学の授業で使われる教科書のような作りになっていますので、じっくりと学習する方向けの本になります。

想定読者としては企業の財務担当者であり、一般のビジネスパーソンが読むには少しハードルは高いと思いますが、コーポレート・ファイナンスとM&Aに関しては一通りカバーされており、これ1冊が手許にあれば、何か疑問が生じたときの参考書としても使えます。

中上級者向け

『コーポレート・ファイナンス　上・下』
リチャード・ブリーリー、スチュワート・マイヤーズ、フランクリン・アレン（日経BP社）

欧米のビジネススクールのコーポレート・ファイナンスの授業で使われるテキストの日本語版です。この分野の決定版であり、この「参考図書」のコーナーで挙げた本の多くは、この本の内容に依拠しているといってもよいでしょう。この本を知らないと、この分野ではモグリという立ち位置の書籍です。

初級者向け

『なぜか日本人が知らなかった新しい株の本』
山口揚平（ランダムハウス講談社）

株式投資の本ということになっていますが、内容は企業価値の算出について図版で簡単に説明してくれている本、と言ったほうが正確だと思います。

株式投資という、おそらく多くの方にとってはコーポレート・ファイナンスという言葉よりも、身近なものを出発点として企業価値の算出を理解してしまいましょう、という内容です。本書で解説した企業価値の算出（DCF法）のところをおさらいしたい方にはオススメです。

初級者向け

『会社の値段』　森生明（ちくま新書）

ビジネスパーソンを想定読者として、企業価値、コーポレート・ファイナンスについて理論的に書かれた本です。著者は2007年にNHKで放送されたドラマ『ハゲタカ』の監修も行なっています。

中級者向け

『MBAバリュエーション』　森生明（日経BP社）

企業価値の算出、M&Aのときの企業の買収金額の算出に主眼を置いて解説しています。同じ著者の『会社の値段』を読み、企業価値の算出や買収金額の決定の分野をもう少し掘り下げて学習したいという場合に、こちらの『MBAバリュエーション』に進むことをお勧めします。企業価値の算出という観点では、これ1冊が理解できれば大丈夫です。また、M&Aのプロセスなどを理解するにも役立ちます。

中上級者向け

『企業価値評価－バリュエーション　第4版　上・下』
マッキンゼー・アンド・カンパニー：ティム・コラー、マーク・フーカート、デイビッド・ウェッセルズ（ダイヤモンド社）

コーポレート・ファイナンスの分野で商売として飯を食べていこうとする

人たち（金融機関やコンサルティング会社）のテキストとして用いられるのがこの本です。仕事で証券会社や投資銀行相手に自社のM&A案件を遂行していくという、財務戦略部、経営企画部、社長室のスタッフの方々にとっても有益な本となるでしょう。

その他にも、

『ハゲタカ』　真山仁（講談社文庫）

『巨大投資銀行』　黒木亮（角川文庫）

『トップ・レフト』　黒木亮（祥伝社文庫）

など証券業界や金融業界を題材として書かれた小説も参考になります。保田は小樽商科大学ビジネススクールの授業では『ハゲタカ』のドラマを題材として用いてディスカッションを行なっています。

あとがき

「会計とファイナンスの関係がイマイチわからない」

ファイナンスを勉強する多くの方が抱く、こうした疑問に応える教科書を書き上げたい。そんな思いから本書の企画はスタートしました。

ファイナンスの知識を身に付けるためには、前提として会計の知識が必要であるにもかかわらず、会計とファイナンスの両方を1冊にまとめた本や両者のつながりについてわかりやすく解説された本はほとんどありませんでした。そこで、共著者の保田さんと一緒に議論しながら、ファイナンスをマスターするうえで最低限必要な会計の知識とファイナンスの理論を一度に学べるとともに、その両者のつながりを理解できるような1冊を世に出すと決めたのでした。

本書でも繰り返し触れているとおり、経営戦略としてのファイナンスの目的は、「企業価値を向上させること」にほかなりません。そして、企業価値を向上させるためには、「将来のキャッシュフローを増やすか」、または「WACCを下げるか」すればいいわけです。ところが、そんなことを言いながら、肝心の「キャッシュフローを改善させるための具体的な打ち手」については、従来のファイナンスに関する専門書では曖昧にされていました。

もちろん、キャッシュフローを増やすことは、主にファイナンス以外の事業戦略が扱う領域です。それでも、経営陣が事業戦略の打ち手を導き出すための材料を用意し、「企業価値の向上」という目的遂行のための意思決定に資する指針を提供することこそが、企業で財務戦略を担うCFO（最高財務責任者）の役割であり責任であると思うのです。

ところが、いろいろな会社を見ているかぎり、日本の企業でCFOのポジションに就いている多くの方が経理責任者の延長線上にいる「集計屋さん」にとどまっているケースが少なくありません。

そこで本書では、企業価値の向上というファイナンス戦略の目的を実現すべく、キャッシュフローを改善するために「明日から具体的に何をしたらよいか」という打ち手をCFOとして考えられるよう、会計の使い方を紹介しました。本書が会計とファイナンスを合わせて学ぶことをコンセプトにしているのは、1冊の本で一度に理解できれば時間の節約になるという事情もありますが、むしろこちらのほうが本当の理由です。

会計を学びたいという切実なニーズがビジネスパーソンには強いのか、会計に関する本にはベストセラーが多く見受けられます。しかしながら、あれだけ多くのベストセラーが出てきても（または読んでも）「なるほど！」「おもしろかった」という声が多く聞かれる一方、「実際の仕事には生かせない」という悩みがなくなることはありません。

そのため本書では、やさしい解説を重視するあまり抽象的な事例を用いることは極力避け、実際に私が直面した現場での事例や上場企業のケーススタディをなるべく多く取り上げることによって、読者のみなさんが「実際に使える」ことに重きを置いたつもりです。

さらに、保田さんが小樽商科大学/大学院で実際に行なった講義でのやり取りも収めていますので、時としてリアリティが希薄になりがちなファイナンス理論について、読者のみなさんが感覚的に理解するための助けになるものと期待しています。

私は、今年の初め、たまたま海外出張で現地企業の経営陣とファイナンス戦略について議論する機会に恵まれました。出張した国は欧米の先進諸国ではありませんし、交渉相手の現地企業は上場企業でもありません。ところが驚いたことに、交渉した相手の経営陣の話す内容のレベルがとても高いのです。上場企業でもないのに自社の株主資本コストが何%だとか、理想的な資本構成はこうだ、といった発言が当たり前のようにポンポン出てきます。そして、本書では触れていないようなファイナンススキームに関する議論へと発展していくのです。

CFOならいざ知らず、社長がファイナンスに関する理論を熟知しているほか、驚いたのは営業マネージャーまでこうした議論についてきていることです。とても失礼な言い方ですが、お世辞にも先進国ではないし、上場もしていない企業の人たちです。残念ながら、日本では上場企業のCFOが相手でもこのような高いレベルの会話にはなかなかならないのが実態です。

この出張でもっとも刺激を受け、危機感を抱いたのは何を隠そう、この私自身であり、グローバルに事業を展開するにあたっては、自分自身、さらに勉強していかなければいけないとの気持ちを新たにさせてくれました。リーマンショックを機にファイナンスの世界は小手先でやっつける何やら怪しいもの、という印象を世の中に与えてしまった感がありますが、日本から一歩外へ飛び出せば、けっしてそんなことはないと改めて感じました。

事業戦略をどんなに立派に作っても、ファイナンス戦略が欠けていれば、それは「行き当たりばったりの成り行き経営」になりかねません。微力ですが、ファイナンスの専門家として、これからも自分が正しいと信じるメッセージを発信しつづけていきたいと思います。

本書を執筆するにあたっては、ダイヤモンド社の会議室で3回にわたってモニター講義を実施させていただきました。紙面の都合もありますので、ここで全員のお名前を挙げることは割愛致しますが、ご協力くださったみなさんには心より感謝申し上げます。そして、小樽商科大学大学院の保田さんのクラスでも特別授業をさせていただく機会に恵まれました。講義の中でみなさんから出された疑問や質問が原稿の執筆のために大変有益だったことは言うまでもありません。本当にありがとうございます。

最後に、本書の執筆・編集にあたって、ダイヤモンド社書籍編集局第二編集部の横田大樹さんには心より感謝の意を表します。会議のたびに的確なアドバイスをくださったほか、著者2人の原稿が遅れたことにもめげず最後まで激励していただき、一方ならぬお世話になりました。また、今は同社総合企画局へ異動された石田哲哉さんには、長年にわたり著者2人がご指導いただいているうえ、本書の企画のご縁を作っていただきました。心よりお礼申し上げます。

2013年4月

田中 慎一

索引

ア

カ

サ

［著者］

田中　慎一（たなか　しんいち）

企業財務コンサルタント / 株式会社インテグリティ・パートナーズ代表取締役。1972 年生まれ。大学卒業後、監査法人太田昭和センチュリー（現あずさ監査法人）、大和証券 SMBC、UBS 証券などを経て独立。監査法人で上場企業の会計監査、IPO 支援やデューデリジェンス業務、証券会社の投資銀行部門では M&A、事業再生、資金調達に関するアドバイザリーサービスに従事。現在は、財務戦略に関するコンサルティングサービスを提供するほか、ベンチャー企業・中小オーナー企業の社外役員を務める。著書に『M&A 時代 企業価値のホントの考え方』『投資事業組合とは何か』（ともにダイヤモンド社）などがある。趣味は料理とトライアスロン。

保田　隆明（ほうだ　たかあき）

小樽商科大学大学院准教授。1974 年生まれ。早稲田大学商学部卒業後、リーマンブラザーズ証券、UBS 証券、起業、ベンチャー投資ファンド、金融庁金融研究センターなどを経て現職。早稲田大学大学院ファイナンス研究科修了（ファイナンス修士）、早稲田大学大学院商学研究科博士後期課程修了。著書に『実況 LIVE 企業ファイナンス入門講座―ビジネスの意思決定に役立つ財務戦略の基本』（ダイヤモンド社）、『図解 株式市場と M&A』（翔泳社）などがある。

あわせて学ぶ　会計&ファイナンス入門講座

プロになるための理論と実践

2013年 4 月25日　第 1 刷発行
2025年 2 月 4 日　第11刷発行

著　者――――――田中慎一、保田隆明
発行所――――――ダイヤモンド社
〒150-8409　東京都渋谷区神宮前6-12-17
https://www.diamond.co.jp/
電話／03･5778･7233（編集）　03･5778･7240（販売）
装丁――――――萩原弦一郎（デジカル）
本文デザイン――――新田由起子（ムーブ）
制作進行――――――ダイヤモンド・グラフィック社
印刷――――――勇進印刷（本文）・加藤文明社（カバー）
製本――――――ブックアート
編集担当――――――横田大樹

ISBN 978-4-478-02210-8